D1251813

SERIE DE LA APLICACIÓN DE CIENCIAS
BIOLOGÍA
Estudio de seres vivos

con una introducción al método científico

Annotated Teacher's Edition

Seymour Rosen

ISBN 0-8359-0715-5
Printed in the United States of America
2 3 4 5 6 7 8   06 05 04 03 02

Globe
Fearon

Pearson Learning Group

1-800-321-3106
www.pearsonlearning.com

CONTENTS

INTRODUCTION TO THE SERIES

Overview

The *Science Workshop Series* consists of 12 softbound workbooks that provide a basic secondary-school science program for students achieving below grade level. General competency in the areas of biology, earth science, chemistry, and physical science is stressed. The series is designed so that the books may be used sequentially within or across each of these science areas.

Each workbook consists of approximately 30 lessons. Each lesson opens with a manageable amount of text for students to read. The succeeding pages contain exercises, many of which include photographs or drawings. The illustrations provide students with answers to simple questions. Phonetic spellings and simple definitions for scientific terms are also included to aid in the assimilation of new words.

The question material is varied and plentiful. Exercises such as *Completing Sentences, Matching,* and *True or False* are used to reinforce material covered in the lesson. An open-ended *Reaching Out* question often completes the lesson with a slightly more challenging, yet answerable question.

Easy-to-do laboratory experiments are also included in some lessons. Not isolated, the experiments are part of the development of concepts. They are practical experiments, which require only easily obtainable, inexpensive materials.

Numerous illustrations and photographs play an important role in the development of concepts as well. The functional art enhances students' understanding and relates scientific concepts to students' daily lives.

The workbook format meets the needs of the reluctant student. The student is given a recognizable format, short lessons, and questions that are not overwhelming. The student can handle the stepwise sequence of question material in each lesson with confidence.

The series meets the needs of teachers as well. The workbooks can either be used for an entire class simultaneously, or since the lessons are self-contained, the books can be used on an individual basis for remedial purposes. This works well because the tone of each book is informal; a direct dialogue is established between the book and the student.

Using the Books

Although each lesson's reading selection may be read as part of a homework assignment, it will prove most effective if it is read during class time. This allows for an introduction to a new topic and a possible discussion. Teacher demonstrations that help to reinforce the ideas stressed in the reading should also be done during class time.

The developmental question material that follows the reading can serve as an ideal follow-up to do in class. The exercises such as *Completing Sentences, True or False* or *Matching* might be assigned for homework or used as a short quiz. The *Reaching Out* question might also be assigned for homework or completed in class to end a topic with a discussion.

Objectives

The aim of the Science Workshop Series is to increase the student's level of competency in two areas: *Science Skills* and *Verbal Skills*. The comprehensive skills matrix on page T-2 highlights the science skills that are used in each lesson.

SKILLS MATRIX

Lesson	Identifying	Classifying	Observing	Measuring	Inferring	Interpreting	Predicting	Modeling	Experimenting	Organizing	Analyzing	Understanding Direct and Indirect Relationships	Inductive Reasoning	Deductive Reasoning
1	●		●	●		●					●	●		●
2	●				●				●					●
3	●		●				●				●			●
4						●			●		●			
5			●	●		●			●		●		●	
6	●		●											●
7							●				●			
8		●				●		●		●				
9		●	●			●				●	●			●
10	●		●			●					●			●
11	●		●		●		●				●			
12	●		●		●		●				●			●
13			●	●	●				●					●
14	●		●			●	●	●						●
15			●			●	●	●			●			
16		●				●	●			●	●	●		
17	●		●		●	●	●				●			●
18	●				●	●	●				●	●		●
19	●				●	●	●				●	●		
20	●	●			●	●	●			●				●
21	●	●	●	●	●	●	●		●	●	●	●		●
22	●	●	●			●				●	●			
23	●	●			●	●	●			●		●		
24	●	●				●				●	●			●
25	●	●	●			●								●
26	●				●	●	●							
27	●					●					●	●		●
28	●					●								●
29	●					●					●			●
30	●	●	●		●	●	●		●	●	●			●
31	●				●	●	●				●			●
32	●					●								
33	●	●				●				●	●			●
34	●	●				●				●	●			●
35	●	●				●				●	●	●		

VERBAL SKILLS

An important objective of the Science Workshop Series is to give all students—even those with reading difficulties—a certain degree of science literacy. Reading science materials is often more difficult for poor readers because of its special vocabulary. Taking this into account, each new word is introduced, defined, used in context, and repeated in order to increase its familiarity. The development of the vocabulary word **stimulus** is traced below to illustrate the usage of science words in the text.

1. The word **stimulus** is first defined in Lesson 4 on page 19.
2. Students interpret different stimuli and responses on page 21.
3. The *Fill in the Blank* exercise on page 24 requires students to use the word **stimulus** in context.
4. The *True or False* exercise on page 24 requires students to review the definition of **stimulus**.
5. The word is reintroduced and used throughout Lesson 32, which covers plant tropisms.

This stepwise development allows students to gradually increase their working science vocabulary.

Other techniques used to familiarize students with a specialized vocabulary are less formal and allow the student to have fun while reinforcing what has been learned.

- A Word Search appears on page 123.
- A Word Scramble appears on page 69.
- A Crossword Puzzle appears on page 115.

LANGUAGE DIVERSE POPULATIONS

Students with limited English proficiency may encounter difficulties with the core material as well as the language. Teachers of these students need to use ample repetition, simple explanations of key concepts, and many concrete examples from the students' world. Relying on information students already possess helps students gain confidence and establishes a positive learning environment.

To help LDP students with language development, it is important to maintain an open dialogue between the students and the teacher. Encourage student participation. Have students submit written and oral reports. After students read a section of the text, have them explain it in their own words. These strategies will help the teacher be aware of problem areas.

CONCEPT DEVELOPMENT

In each book the lessons are arranged in such a way as to provide a logical sequence that students can easily follow. Let us trace the development of one concept from the workbook: *Cells make up living things.*

Lesson 4 introduces students to the concept that living things are made up of cells. Cells are defined as the "building blocks of life." In Lesson 8, animal and plant cells, as well as the differences between them are introduced. Numerous pictures are used to illustrate this concept. Lessons 11, 12, 13, and 19 deal with cell division. Then in Lessons 20, 21, 22, 23, 24, 33, and 35, students are reintroduced to the concept of cells making up living things, and are given numerous examples and pictures to illustrate the concept.

SAFETY IN THE SCIENCE LABORATORY

Many of the lessons in the books of the *Science Workshop Series* include easy-to-do laboratory experiments. In order to have a safe laboratory environment, there are certain rules and procedures that must be followed. It is the responsibility of every science teacher to explain safety rules and procedures to students and to make sure that students adhere to these safety rules.

To help students develop an awareness of safety in the science laboratory, an entire lesson in this book has been dedicated to science safety. Safety guidelines are covered in Lesson 3, which begins on page 15. Safety symbols are included in the lesson. The safety symbols also appear throughout the student edition to alert students to potentially dangerous situations.

USING THE TEACHER'S EDITION

The Teacher's Edition of *Biology: Survey of Living Things* has on-page annotations for all questions, exercises, charts, tables, and so on. It also includes front matter with teaching suggestions for each lesson in the book. Every lesson begins with questions to motivate the lesson. The motivational questions relate to the lesson opener pictures and provide a springboard for discussion of the lesson's science concepts. Following the *Motivation* are a variety of teaching strategies. Suggestions for *Class Activities, Demonstrations, Extensions, Reinforcements,* and *Cooperative/Collaborative Learning* opportunities are given.

If a student experiment is included in the lesson, a list of materials needed, safety precautions, and a short explanation of laboratory procedure are given.

The teacher's edition also includes a two-page test, which includes at least one question from each lesson in the book. The test can be photocopied and distributed to students. It begins on the next page. The test's Answer Key is found below.

RESPUESTAS AL EXAMEN DE REPASO

Contestaciones múltiples

1. a **2.** c **3.** b **4.** c **5.** a **6.** b **7.** d **8.** b **9.** a **10.** d

Completa la oración

1. reglas de seguridad	**2.** generación espontánea	**3.** reproducción
4. regeneración	**5.** externa	**6.** clorofila
7. hongos	**8.** completa	**9.** fruto
10. cuatro		

Cierto o falso

1. falso **2.** falso **3.** cierto **4.** falso **5.** cierto **6.** cierto
7. falso **8.** falso

Hacer las correspondencias

1. f **2.** h **3.** j **4.** b **5.** d **6.** g **7.** i **8.** a **9.** c **10.** e

EXAMEN DE REPASO

CONTESTACIONES MÚLTIPLES

En el espacio en blanco, escribe la letra de la palabra o las palabras que completen mejor cada oración.

_____ **1.** Un cacto tiene un tallo grueso que almacena el agua. Éste es un ejemplo de un(a)
  a) adaptación. **b)** respuesta. **c)** estímulo. **d)** desarrollo.

_____ **2.** Una célula vegetal se difiere de una célula animal porque tiene un(a)
  a) membrana celular. **b)** núcleo. **c)** pared celular. **d)** ribosoma.

_____ **3.** El núcleo de una célula se divide por medio del proceso de la
  a) fotosíntesis. **b)** mitosis. **c)** reproducción. **d)** respiración.

_____ **4.** Un método de la propagación vegetativa en que un pedazo de una planta se usa para cultivar otras plantas se llama
  a) polinización directa. **b)** fecundación. **c)** cortes. **d)** tropismo.

_____ **5.** Durante la etapa de la larva, una rana se llama
  a) un renacuajo. **b)** un embrión. **c)** una placenta. **d)** un sapo.

_____ **6.** Las estructuras como pelos que ayudan a una bacteria a moverse se llaman
  a) cocos. **b)** flagelos. **c)** bacilos. **d)** espirilos.

_____ **7.** Todas las siguientes son características de plantas, <u>menos</u>
  a) Tienen muchas células. **b)** Las células forman tejidos y órganos.
  c) Las plantas fabrican sus propios alimentos. **d)** Consiguen alimentos por fuera del cuerpo.

_____ **8.** Los órganos reproductores de una flor son los estambres y los
  a) sépalos. **b)** pistilos. **c)** pétalos. **d)** ovarios.

_____ **9.** El fruto del diente de león se dispersa por medio
  a) del viento. **b)** de animales. **c)** de partes que se estallan.
  d) del agua.

_____ **10.** Todos los que siguen son vertebrados, menos
  a) los peces. **b)** los reptiles. **c)** los mamíferos. **d)** os artrópodos.

COMPLETA LA ORACIÓN

Completa cada oración con un término de la lista. Escribe tus respuestas en los espacios en blanco.

clorofila	incompleta	regeneración	cuatro
interna	reproducción	fruto	externa
reglas de seguridad	hongos	completa	generación espontánea

1. Siempre debes obedecer las _____ cuando haces un experimento.

2. La idea de que los seres vivos provinieron de seres sin vida se llama la _____ .

3. El proceso de crear una vida nueva se llama la _____ .

4. La _____ es la capacidad de un animal para volver a crecer partes perdidas.

5. La fecundación de los peces generalmente es _____ .

6. Las plantas utilizan _____ para fabricar sus propios alimentos.

7. Organismos como plantas pero que no tienen clorofila se llaman _____.

8. Una flor _____ tiene partes masculinas y partes femeninas .

9. Un _____ es el ovario hinchado de una planta y sus semillas maduras.

10. La metamorfosis completa tiene _____ pasos.

CIERTO O FALSO

En el espacio en blanco, escribe "Cierto" si la oración es cierta. Escribe "Falso" si la oración es falsa.

_____ 1. Los científicos utilizan las unidades inglesas de medida.

_____ 2. La temperatura del cuerpo de un animal de sangre fría siempre se queda igual.

_____ 3. Una lupa es un tipo de microscopio.

_____ 4. La reproducción por esporas es un ejemplo de la reproducción sexual.

_____ 5. Tanto las plantas como los animales se reproducen sexualmente.

_____ 6. La nomenclatura binomia es un sistema de darle a cada organismo un nombre de dos partes.

_____ 7. El reino de los hongos incluye las algas, las levaduras y los mohos.

_____ 8. La respiración es el proceso en que una planta produce sus alimentos.

_____ 9. Una semilla consiste en el embrión de la planta, el endospermo y la piel protectora.

_____ 10. Los animales que no tienen columna vertebral se llaman invertebrados.

HACER CORRESPONDENCIAS

Empareja el término de la Columna A con su descripción en la Columna B. Escribe la letra en el espacio.

Columna A	Columna B
_____ 1. los métodos científicos	a) capa áspera exterior de un tallo leñoso
_____ 2. la ingestión	b) resulta en células de igual tamaño
_____ 3. la célula	c) tienen pistilos y estambres
_____ 4. la bipartición	d) reproducción asexual de las plantas
_____ 5. la propagación vegetativa	e) respuesta de una planta a los estímulos
_____ 6. la meiosis	f) guía para solucionar problemas
_____ 7. un protista	g) proceso en que se forman los gametos
_____ 8. la corteza	h) acción de tomar alimentos
_____ 9. flores completas	i) organismo simple con un núcleo verdadero
_____ 10. un tropismo	j) unidad básica de estructura y de función

LESSON TEACHING STRATEGIES

LECCIÓN 1
¿Cómo miden las cosas los científicos? (páginas 1 a 8)

Motivation Refer students to the lesson opener picture on page 1 and ask the following questions:

1. ¿Qué creen que se mide en cada dibujo?

2. ¿Qué se usa para medir la longitud?

Class Activity Trabajen en grupos pequeños para hacer todas las medidas de esta lección. Tengan a la mano una regla métrica, una balanza, un cilindro graduado y un termómetro de Celsio.

Reinforcement Develop flash cards listing metric units and their measurements on opposite sides. Have students use the cards to review the basic units used for scientific measurements.

LECCIÓN 2
¿Qué son métodos científicos? (páginas 9 a 14)

Motivation Refer students to the lesson opener picture on page 9 and ask the following questions:

1. ¿Quién creen que es el científico que se ve en el dibujo?

2. ¿Cómo pueden pensar como un científico?

Class Activity Escojan un experimento sencillo y háganlo. Escriban informes laboratorios en que describan el experimento. Asegúrense de incluir los pasos de los métodos científicos en sus informes.

LECCIÓN 3
¿Cómo se hacen los experimentos con seguridad? (páginas 15 a 18)

Motivation Refer students to the lesson opener picture on page 15 and ask the following questions:

1. ¿Han visto alguna vez los símbolos de advertencia como los que se ven en el camión? ¿Por qué creen que se usan estos letreros de advertencia?

2. ¿De qué creen que se avisa cada símbolo?

Reinforcement The importance of knowing and following safety procedures in the laboratory cannot be overemphasized.

Class Activity Trabajen en grupos pequeños para hacer carteles que muestran la importancia de "La seguridad en el laboratorio científico".

Class Activity Hojeen el libro para encontrar cinco lugares donde se usan los símbolos de seguridad.

LECCIÓN 4
¿Cómo sabemos si algo está vivo? (páginas 19 a 24)

Motivation Refer students to the lesson opener picture on page 19 and ask the following questions:

1. ¿Qué es la característica de vida que se muestra en cada dibujo?

2. ¿Qué tienen los cactos que los permiten vivir en el desierto?

Class Activity Miren la pizarra. Díganme todos un ejemplo de "seres vivos" y uno de "Seres no vivos"... Ahora, fíjense en los seres vivos. ¿Qué tienen en común todos los seres vivos?... Ayúdenme a describir las seis características de los seres vivos.

Demonstration If possible, show students an actual cactus plant. Point out the thick stem and the spines. Identify these structures as adaptations that help a cactus survive in the desert.

LECCIÓN 5
¿Cuáles son los procesos de vida? (páginas 25 a 30)

Motivation Refer students to the lesson opener picture on page 25 and ask the following questions:

1. ¿Necesitan alimentación las plantas? ¿De dónde la consiguen?

2. ¿Necesitan alimentación las personas? ¿De dónde la consiguen?

Laboratory Experiment Showing How Chemicals Digest Food

Materials Two test tubes, test tube rack, water, digestive chemical, egg white from hard-boiled egg

Advance Preparation Prepare an enzyme by adding active pepsin powder to water. Hard boil several eggs; peel and separate whites. One egg should be sufficient for at least 10 lab stations.

Procedure This lab takes about 15 minutes the first day and 10 minutes the second day. Students may work singly or in pairs, depending upon the availability of materials. Students should follow the directions, adding liquids until the test tubes are three-quarters full. Have students use wax pencils to mark test tubes. The degree of digestion depends on the sources of pepsin.

LECCIÓN 6
¿Qué necesitan los seres vivos para sostenerse? (páginas 31 a 36)

Motivation Refer students to the lesson opener picture on page 31 and ask the following question:

1. ¿Cuáles son las cosas que se ven en el dibujo que los seres vivos necesitan para sostener la vida?

Reinforcement To begin this lesson, ask students what they need to survive. Responses will most likely include food, water, and oxygen. Use students' knowledge as a springboard for a discussion of the needs of all living things.

Extension You may wish to tell students about the concept of homeostasis. Homeostasis is an automatic response of the body that enables organisms to maintain constant internal conditions, such as proper temperature. Shivering and perspiring help humans maintain a body temperature of 37°C.

LECCIÓN 7
¿De dónde vienen los seres vivos? (páginas 37 a 40)

Motivation Refer students to the lesson opener picture on page 37 and ask the following questions:

1. ¿Qué se enseña en cada uno de los tres dibujos?

2. ¿Qué idea creen que la teoría de la generación espontánea apoya o respalda?

Reinforcement To help students understand the theory of spontaneous generation, have students look up the definitions of "spontaneous" and "generation" in a dictonary. Tell students to write

the definitions. Then tell students to use the meanings of the two words to write the definition of "spontaneous generation" in their own words.

Extension Have interested students research the life of Francesco Redi and write a brief biography of his life.

LECCIÓN 8
¿Qué es una célula? (páginas 41 a 48)

Motivation Refer students to the lesson opener picture on page 41 and ask the following questions:

1. ¿Cuáles son los diferentes tipos de células que se enseñan?

2. ¿Qué tienen en común todas las células?

Demonstration To introduce this lesson, build a small house of cards in front of the classroom. Ask students to identify the basic unit of structure of a card house. (a card) Then tell students that the basic unit of structure in living things is the cell. Point out that all living things are made up of one or more cells.

Class Activity Formen pequeños grupos. Ahora, utilicen estas plastilinas de diferentes colores para construir un modelo de una célula animal.

Cooperative/Collaborative Learning Have students work in pairs to complete the chart on page 46.

LECCIÓN 9
¿Cómo nos puede ayudar un microscopio a estudiar los seres vivos? (páginas 49 a 64)

Motivation Refer students to the lesson opener picture on page 49 and ask the following questions:

1. ¿Qué muestra el dibujo?

2. ¿Cuántos tipos diferentes de microscopios pueden nombrar?

Demonstration Point out the parts of a compound microscope on an actual microscope. As you point out each part, review its function.

Class Activity Sigan las instrucciones de las páginas de 55 a 61 para preparar y observar unos portaobjetos.

Reinforcement Emphasize the importance of handling a microscope in a careful and proper way.

LECCIÓN 10
¿Qué es la reproducción? (páginas 65 a 69)

Motivation Refer students to the lesson opener picture on page 65 and ask the following questions:

1. ¿Qué se enseñan en los dos dibujos?

2. ¿Qué clases de reproducción representan?

Demonstration Use clay to model the asexual reproduction of bacteria.

Extension Have each student choose ten animals. Tell students to find out the proper name of each animal's offspring. For example, the offspring of a cat is a kitten. Then compile a class list.

LECCIÓN 11
¿Qué es la mitosis? (páginas 71 a 76)

Motivation Refer students to the lesson opener picture on page 71 and ask the following questions:

1. ¿Qué muestran los dibujos?

2. ¿Qué son las bandas oscuras en el interior de las células?

Demonstration Use charts, models, and prepared slides to show students the process of mitosis.

Reinforcement Be sure students understand the difference between cell division and mitosis. Emphasize that mitosis is division of the nucleus. Cell division includes mitosis, as well as the splitting of the parent cell into two daughter cells.

LECCIÓN 12
¿Qué es la bipartición? ¿Qué es la gemación? (páginas 77 a 82)

Motivation Refer students to the lesson opener picture on page 77 and ask the following questions:

1. ¿Qué muestran los dibujos?

2. ¿Cuáles son los organismos que se reproducen por medio de la bipartición?

Demonstration Demonstrate the difference between fission and budding using a ball of clay. First, roll a ball of clay in your hands. Then, break the ball of clay into two pieces of equal sizes. Then, put the two pieces of clay together. Again, form a ball with the clay. Gently squeeze a small piece of clay so a small ball of clay is formed on the side of the large ball. Break the small piece of clay free from the larger ball.

Class Activity Ahora, utilicen los microscopios para observar los portaobjetos de amebas, paramecios y células de levaduras que están en distintas fases de la reproducción.

LECCIÓN 13
¿Qué son esporas? (páginas 83 a 88)

Motivation Refer students to the lesson opener picture on page 83 and ask the following questions:

1. ¿Qué se muestra en el dibujo de la izquierda?

2. ¿Qué se muestra en el dibujo de la derecha?

Laboratory Experiment Growing Your Own Mold

Materials piece of bread, paper towel, small jar with cap, water

Advance Preparation none

Procedure This experiment may be done by students at home or in the classroom. Have students follow the written directions. You may wish to vary the experiment by having some students use different kinds of media, or by having some specimens in the light with and without water. After several days have students explain what factors limit the growth of molds.

LECCIÓN 14
¿Qué es la regeneración? (páginas 89 a 94)

Motivation Refer students to the lesson opener picture on page 89 and ask the following questions:

1. ¿Cuáles son algunos animales que pueden regenerar sus partes perdidas?

2. ¿Son capaces los seres humanos de regenerar algunas partes?

Demonstration Obtain a planarian from a biological supply company. Cut the planarian in half using a scalpel. Have students observe that each half eventually regenerates into a new planarian.

Reinforcement Be sure students understand that regeneration of a whole organism is a form of asexual reproduction.

LECCIÓN 15
¿Qué es la propagación vegetativa? (páginas 95 a 102)

Motivation Refer students to the lesson opener picture on page 95 and ask the following question:

1. ¿Alguna vez han cultivado unas plantas de cortes?

Demonstration Bring in an onion and display it in front of the classroom. Point out that an onion is a bulb. Define a bulb as an underground stem covered with fleshy leaves. Then ask students if they know of any other plants that grow from bulbs. (Some students may be familiar with the bulbs of plants such as tulips and daffodils.)

Demonstration Bring in a potato. Identify the potato as an underground stem called a tuber. Point out the buds, or eyes, of the potato. Tell students that when planted, each eye may grow into a new potato plant.

Class Activity Consigan unas plantas como las zanahorias, los nabos, las remolachas o las batatas. Hagan cortes de su planta y traten de cultivar plantas nuevas.

LECCIÓN 16
¿Cómo se reproducen los animales? (páginas 103 a 108)

Motivation Refer students to the lesson opener picture on page 103 and ask the following questions:

1. ¿Qué es el proceso de vida que representan los dibujos?

2. ¿Se reproducen los animales sexual o asexualmente?

Demonstration Display a variety of animal eggs. Depending upon availability, frog, fish, snake, turtle, or bird eggs could be displayed. Then develop the concepts of internal and external fertilization. Guide students to understand that internal fertilization takes place in most land animals. Refer to the fertilization of reptiles, birds, and mammals as internal fertilization. Point out that fish and amphibians have external fertilization.

Reinforcement Be sure students understand that some organisms have internal fertilization, but external development. Emphasize that mammals are the only organisms in which embryos develop within the mother's body.

LECCIÓN 17
¿Cómo se reproducen y se desarrollan los peces? (páginas 109 a 116)

Motivation Refer students to the lesson opener picture on page 109 and ask the following questions:

1. ¿En qué tipos de ambientes se encuentran los peces?

2. ¿Han tenido alguna vez una pecera? ¿Qué tipos de peces tenían?

Class Activity En nuestro acuario hay varios peces distintos. Observen sus cuerpos y sus comportamientos. Anoten sus observaciones en sus libretas. Todos van a tener la oportunidad de cuidar de los peces en nuestro acuario.

Extension Have interested students find out more about Pacific salmon. Tell students to present their findings in oral reports.

LECCIÓN 18
¿Cómo se reproducen y se desarrollan las ranas? (páginas 117 a 124)

Motivation Refer students to the lesson opener picture on page 117 and ask the following questions:

1. ¿Qué nos enseña el dibujo?

2. ¿Se ven las ranas jóvenes como pequeñas ranas adultas?

Class Activity Formen grupos pequeños. Cada grupo va a dibujar los huevos de rana, los renacuajos, las ranitas jóvenes y las ranas adultas. Luego, recorten los dibujos y colóquenlos en la secuencia correcta de la metamorfosis de las ranas. Refiéranse a los diagramas de las páginas 119 y 120.

Cooperative/Collaborative Learning Have students work in pairs to do the Fill in the Blanks on page 122.

LECCIÓN 19
¿Qué es la meiosis? (páginas 125 a 130)

Motivation Refer students to the lesson opener picture on page 125 and ask the following question:

1. ¿Qué está sucediendo en los dibujos?

Reinforcement Be sure students understand that meiosis is a special kind of cell division that takes place only in the formation of gametes. Develop the idea that during fertilization, gametes combine. Point out that since each gamete contains half the number of chromosomes present in body cells, the original number of chromosomes is restored in the zygote.

Demonstration Use common objects such as pennies to model meiosis for the class.

LECCIÓN 20
¿Cómo se clasifican los seres vivos? (páginas 131 a 138)

Motivation Refer students to the lesson opener picture on page 131 and ask the following questions:

1. ¿Hay algunos seres vivos en los dibujos?

2. ¿Dónde hayan visto el uso de un sistema de clasificación?

Reinforcement Display a variety of grocery store products in front of the classroom, such as a can of soup, apples, a bottle of juice, and so on. Ask students why they can find products in a grocery store with ease. Elicit the response that items in a grocery store are classified, or grouped based upon similarities. Point out that if supermarket shelves were stacked randomly, it would be very difficult to find anything. Then relate classification in a grocery store to taxonomy. Stress that in order to keep track of living things, scientists have a classification system for them.

Reinforcement Tell students that they can remember the order of the classification groups by remembering the sentence: *Kings play cards on fat green stools.* Point out that the first letter of each word is the first letter for each group.

Demonstration Show students as many interesting pictures as possible of members of the five kingdoms. Hold up each picture. Identify the organism and the kingdom to which it belongs. Have students describe some of its characteristics based on the kingdom.

LECCIÓN 21
¿Qué son las bacterias? (páginas 139 a 146)

Motivation Refer students to the lesson opener picture on page 139 and ask the following questions:

1. ¿Qué nos enseña el dibujo de la parte de arriba?

2. ¿Cuáles son los alimentos que se muestran en el dibujo?

Laboratory Experiment Growing Bacteria

Materials sterile agar, sterile covered petri dishes, grease pencil

Advance Preparation Prepare the petri dishes with agar in advance.

Procedure Have students follow the instructions on page 145. You may wish to have students work in pairs. However, each student should be responsible for making his or her own observations.

LECCIÓN 22
¿Qué son los protistas? (páginas 147 a 152)

Motivation Refer students to the lesson opener picture on page 147 and ask the following questions:

1. ¿Qué se enseña en el dibujo de la izquierda en la parte de abajo?

2. ¿Cómo se reproducen estos organismos?

Class Activity Con el microscopio, observen los protozoos. Luego, hagan dibujos en sus libretas de los organismos que observaron.

Reinforcement Be sure students understand that all algae contain chlorophyll, although not all algae are green.

LECCIÓN 23
¿Qué son los hongos? (páginas 153 a 157)

Motivation Refer students to the lesson opener picture on page 153 and ask the following questions:

1. ¿Qué tipos de hongos nos muestran los dibujos?

2. ¿Nos ayudan o nos hacen daño los hongos? ¿O es posible que nos ayudan y nos hacen daño?

Class Activity Durante nuestra excursión al bosque, van a ver varios tipos de hongos. Hagan dibujos de todos los hongos que ven y, después, refiéranse a una guía campestre o una enciclopedia especializada para identificarlos.

Class Activity Hagan una solución de levadura y 100 mL de agua tibia y una cucharadita de azúcar. Revuélvanla por 15 minutos. Utilicen esta mezcla de levaduras para preparar portaobjetos. Echen una gota del colorante de violeta cristal a cada portaobjetos. Luego, miren los portaobjetos con el microscopio.

Demonstration Bring a mushroom to class. Point out the cap, stalk, and the gills.

LECCIÓN 24
¿Cuáles son las características de las plantas? (páginas 159 a 166)

Motivation Refer students to the lesson opener picture on page 159 and ask the following questions:

1. ¿Qué tipo de célula se nos muestra a la derecha?

2. ¿Qué se enseña a la izquierda?

Extension Have interested students research the use of peat moss in gardens and as a fuel source. Tell students to write their findings in a report.

Demonstration Try to obtain mature pinecones. Boil the cones and remove the seeds. Have students examine the seeds.

Class Activity Tomen apuntes durante nuestra excursión al jardín botánico. Fíjense en las plantas que usamos para fabricar productos útiles.

LECCIÓN 25
¿Qué son las raíces, los tallos y las hojas? (páginas 167 a 174)

Motivation Refer students to the lesson opener picture on page 167 and ask the following questions:

1. ¿Cuáles son las tres partes de una planta que se muestran en los dibujos?

2. ¿Alguna vez han hecho una colección de hojas resecadas? ¿Qué clases de hojas había en sus colecciones?

Demonstration To introduce this lesson, bring a potted plant to class. Pull the plant out of the pot in front of the class. Have students observe the plant's roots. Identify the kind of root system the plant has. Point out the root hairs extending from the root and describe their function. Then repot the plant.

Demonstration A few hours before class begins, obtain two large beakers and two stalks of celery. Cut several centimeters from the bottom of the celery. Fill one beaker halfway with water and place a celery stalk in it. Fill the other beaker halfway with water and add several drops of food coloring to the water. Place the other stalk of celery in the beaker. When class begins, place the two beakers in front of the classroom. Students will observe that water has been conducted through the stalk. Tell students that water is transported up from the roots by tube. Identify transport as one function of stems. Then ask students to state another function of stems. (support)

Demonstration Bring a leaf to class. Point out the stalk, the blade, and the veins in the leaf as you describe these structures. Be sure students understand that the veins are made up of transport tubes.

LECCIÓN 26
¿Cómo consiguen su energía los seres vivos? (páginas 175 a 180)

Motivation Refer students to the lesson opener picture on page 175 and ask the following questions:

1. ¿Cuál es el gas que aspiran los animales? ¿Cuál es el gas que exhalan?

2. ¿En qué se parecen las ecuaciones? ¿En qué se difieren?

Reinforcement Emphasize that plants carry out both photosynthesis and respiration. Students often think that plants only carry out photosynthesis.

Cooperative/Collaborative Learning Have one student write the equation for respiration on the chalkboard while another student writes the equation for photosynthesis. (Have students write both the molecular equation and the word equation.) Tell the students to explain each process as they write it out.

LECCIÓN 27
¿Cuáles son las partes de una flor? (páginas 181 a 186)

Motivation Refer students to the lesson opener picture on page 181 and ask the following questions:

1. ¿Qué nos enseñan los dibujos?

2. ¿Cuáles son los tipos de flores que más prefieren?

Demonstration Bring actual flowers to class, including a perfect flower and an imperfect flower. Point out and describe the sepals, the petals, the pistils, and the stamens.

Cooperative/Collaborative Learning Have a volunteer explain the difference between a perfect flower and an imperfect flower for the rest of the class.

LECCIÓN 28
¿Cómo sucede la polinización? (páginas 187 a 192)

Motivation Refer students to the lesson opener picture on page 187 and ask the following questions:

1. ¿Qué se ve en el dibujo?

2. ¿Qué creen que están haciendo las abejas? ¿Cómo puede ser que ayudan a la planta?

Extension Have students find out about the various kinds of mutually beneficial relationships between plants and the insects or animals that pollinate them. Tell students to write their findings in a report.

Cooperative/Collaborative Learning Have students work in pairs to do the exercises on page 191.

LECCIÓN 29
¿Cómo sucede la fecundación? (páginas 193 a 198)

Motivation Refer students to the lesson opener picture on page 193 and ask the following questions:

1. ¿Qué tipos de semillas se enseñan?

2. ¿Cómo creen que se forma una semilla?

Demonstration Remove as many pollen grains from a flower as you can. Add the grains to a small test tube filled with water and a little sugar. Allow the test tube to stand overnight. The next day prepare microscope slides of the pollen. Have students observe the slides under a microscope to look for growth of pollen tubes.

Reinforcement Be sure students understand the difference between fertilization and pollination. Students often confuse the two terms.

LECCIÓN 30
¿Qué es un fruto? (páginas 199 a 206)

Motivation Refer students to the lesson opener picture on page 199 and ask the following questions:

1. ¿Qué tipos de frutas se ven en el dibujo? ¿Cuáles de estas frutas les gusta comer?

2. ¿Qué hace la muchacha? ¿Han participado en la cosecha de frutas alguna vez?

Class Activity He traído varias frutas y las he partido para exponer las semillas. Observen estas frutas partidas. Díganme cómo creen que se formaron las semillas y noten si cada fruta tiene una semilla o muchas semillas.

Reinforcement Try to dispel the idea that fruits can only be like apples and oranges. Give the example of an acorn, which is the fruit of an oak tree.

LECCIÓN 31
¿Cómo se dispersan las semillas? (páginas 207 a 212)

Motivation Refer students to the lesson opener picture on page 207 and ask the following questions:

1. ¿Qué hace la ardilla? ¿Qué hace la niña?

2. ¿Qué tipos de semillas se ven?

Demonstration Show students the various fruits discussed in the lesson such as milkweed pods, the fruit of maple trees or dandelions, poppies and peas, and coconuts.

LECCIÓN 32
¿Qué son tropismos? (páginas 213 a 217)

Motivation Refer students to the lesson opener picture on page 213 and ask the following questions:

1. ¿Han visto alguna vez una planta como la del dibujo? ¿Qué creen que le pasará a la mosca?

2. ¿Qué le pasó al tallo de la planta? ¿Creció en la dirección del sol o en la dirección contraria?

Demonstration You can demonstrate the response of a plant toward light by placing a plant near a window that receives sunlight. Place the plant so its leaves and/or flowers are facing in a direction away from the light. Have students observe the plant for the next week. In a few days, students should observe that the plant has changed position so that its leaves and/or flowers are facing toward the sun.

LECCIÓN 33
¿Qué son los invertebrados? (páginas 219 a 226)

Motivation Refer students to the lesson opener picture on page 219 and ask the following questions:

1. ¿Cuáles son los organismos que se ven en los tres dibujos?

2. ¿Cuáles son dos organismos que viven en el mar?

Demonstration Bring a natural sponge to class. Show students the many pores of the sponge.

Extension Have interested students find out about the Portuguese man-of-war. Tell students to present their findings in an oral report.

Class Activity Fíjense en nuestro "terrario". Cuéntenme, ¿cómo es el cuerpo de la lombriz? ¿Cómo se mueve por la tierra?

Class Activity Durante nuestra excursión a la playa, busquen y recojan las conchas de moluscos. Después, utilicen varias fuentes para identificar los moluscos.

Demonstration If possible, obtain a preserved specimen of a seastar to show to the class.

Reinforcement Students often mistakenly refer to spiders, ticks, and scorpions as insects. Be sure students understand that these organisms are arachnids.

LECCIÓN 34
¿Cómo se desarrollan los insectos? (páginas 227 a 232)

Motivation Refer students to the lesson opener picture on page 227 and ask the following questions:

1. ¿Ponen huevos los insectos? ¿Han visto alguna vez los huevos de insectos?

2. ¿Experimentan cambios los insectos de forma parecida a los de las ranas?

Class Activity Fíjense en estas fotografías de la metamorfosis de la mariposa. Ordénenlas de acuerdo con las etapas de la metamorfosis. También, nombren las etapas del desarrollo.

LECCIÓN 35
¿Qué son los vertebrados? (páginas 233 a 239)

Motivation Refer students to the lesson opener picture on page 233 and ask the following questions:

1. ¿Cuáles son los organismos que se ven?

2. ¿En qué se parecen? ¿En qué se difieren?

Class Activity Toquen el centro de la espalda, moviendo la mano de arriba a abajo. ¿Cómo se llaman los "abultamientos" que sienten?... ¿Cuáles son otros animales que tienen vértebras? ¿Cómo se llaman los animales con columnas vertebrales?

Class Activity Fíjense en la pizarra en los nombres de las cinco clases de vertebrados. Díganme los nombres de animales que pertenecen a cada una de las clases. Cuando terminamos las listas, escríbanlas en sus libretas.

Reinforcement Be sure students understand that seals, whales, and bats are mammals. Students often confuse the classification of these animals. They tend to classify seals and whales as fishes and bats as birds.

SERIE DE LA APLICACIÓN DE CIENCIAS

BIOLOGÍA

Estudio de seres vivos

con una introducción al método científico

Seymour Rosen

GLOBE FEARON

Pearson Learning Group

THE AUTHOR

Seymour Rosen received his B.A. and M.S. degrees from Brooklyn College. He taught science in the New York City School System for twenty-seven years. Mr. Rosen was also a contributing participant in a teacher-training program for the development of science curriculum for the New York City Board of Education.

Cover Photograph: Lynn Funkhouser/Natural Selection
Photo Researcher: Rhoda Sidney

Photo Credits:

p. 33, Fig. A: Helena Frost
p. 33, Fig. B: Al Ruland
p. 34, Fig. E: Czechoslovakia Tourist Office
p. 34, Fig. F: Salt River Project
p. 35, Fig. G: Province of Quebec Film Bureau
p. 53, Fig. C: Harry E. Mopsikoff
p. 53, Fig. D: U.S. Department of Agriculture
p. 53, Fig. E: U.S. Department of Agriculture
p. 54, Fig. F: William A. Frost
p. 55, Fig. G: William A. Frost
p. 55, Fig. H: William A. Frost
p. 57, Fig. I: William A. Frost
p. 57, Fig. J: William A. Frost
p. 58, Fig. K: Photo Researchers
p. 59, Fig. L: William A. Frost
p. 59, Fig. M: William A. Frost
p. 59, Fig N: William A. Frost
p. 60, Fig. O: William A. Frost
p. 70: Peter Vandermark/Stock, Boston
p. 93, Fig. H: Alvin E. Staffan/Photo Reasearchers
p. 113, Fig. I: Dan Guravich/Photo Researchers
p. 142, Fig. D: Barry L. Runk/Grant Heilman
p. 143, Fig. J: Blair Seitz/Photo Researchers
p. 150, Fig. E: Richard Carlton/Photo Researchers
p. 209, Fig. A: Runk/Schoenberger, Grant Heilman
p. 209, Fig. B: Grant Heilman
p. 209, Fig. D: UPI/Bettmann Newsphotos
p. 212, Fig. H: Michael Heron
p. 218: Rhoda Sidney

ISBN 0-8359-0700-7
Printed in the United States of America
5 6 7 8 9 10   06 05 04 03 02

Globe
Fearon

Pearson Learning Group

1-800-321-3106
www.pearsonlearning.com

ÍNDICE

ORGANISMOS SIMPLES

PLANTAS

ANIMALES

Introducción a la biología

¿Te has preguntado alguna vez en qué consistes? Los antiguos griegos creían que todo consistía en cuatro sustancias: la tierra, el aire, el fuego y el agua. Sin embargo, con el invento del microscopio, se descubrió un mundo nuevo. Las personas se dieron cuenta de que los seres vivos consistían en células.

Al utilizar el microscopio, los científicos podían observar seres vivos microscópicos que jámas habían visto. ¡Hasta averiguaron que en una sola gota de agua había centenares de organismos!

En este libro vas a estudiar la biología, que es el estudio de los seres vivos. Aprenderás sobre los organismos de una célula más simples, tales como las bacterias, los protistas y los hongos. También aprenderás sobre los organismos más complejos de muchas células, tales como las plantas y los seres humanos.

Sin embargo, y aún más importante, cuando termines este libro, tendrás conocimientos básicos del mundo que te rodea.

¿Cómo miden las cosas los científicos?

área: medida del tamaño de una superficie
longitud: distancia entre dos puntos
masa: cantidad de materia de que se constituye un objeto
temperatura: medida del calor o del frío de algo
volumen: medida de la cantidad de espacio que ocupa un objeto
peso: medida de la atracción de la gravedad sobre un objeto

LECCIÓN 1 | ¿Cómo miden las cosas los científicos?

¿Cuánto pesas? ¿Qué mides de alto? ¿Cuántas baldosas cubrirán el suelo? ¿Cuánta leche se debe añadir a la masa de una torta? ¿Qué es la temperatura de afuera? Todas estas preguntas se contestan con las medidas.

Las medidas son importantes en la vida diaria. Las personas usan las medidas todo el tiempo: para ir de compras, para cocinar, para la construcción. Las medidas también son muy importantes en las ciencias.

Una medida tiene dos partes: número y unidad. La unidad es la cantidad normal que se usa para medir algo.

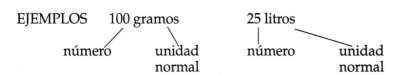

EJEMPLOS   100 gramos   25 litros

número   unidad   número   unidad
          normal   normal

Hay muchas clases de medidas. Las más comunes son:

LA MASA y el peso están relacionados pero no son iguales. La **masa** es una medida de la cantidad de materia de que se constituye un objeto. El **peso** es una medida de la atracción de la gravedad sobre un objeto. La unidad básica de la masa en el sistema métrico es el kilogramo (kg). Se mide la masa con una balanza.

LA LONGITUD es la distancia de un punto a otro y se mide con una regla. La unidad básica métrica de la longitud es el metro (m). Puedes usar una regla métrica para medir la longitud.

EL ÁREA es una medida de <u>superficie</u>, o sea, el tamaño de algo en dos direcciones. Puedes hallar el área de un rectángulo al multiplicar lo largo por lo ancho. Se mide el área en unidades cuadradas, por ejemplo, en metros cuadrados (m^2).

EL VOLUMEN es la medida de la cantidad de <u>espacio</u> que ocupa un objeto, o sea, su tamaño en tres direcciones. El <u>litro</u> (L) es la unidad básica de volumen en el sistema métrico. Una <u>taza</u> <u>para</u> <u>medir</u> o una <u>probeta</u> <u>graduada</u> se usa para medir el volumen de los líquidos.

EL VOLUMEN de los sólidos se puede medir en centímetros cúbicos (cm^3). Puedes hallar el volumen de un cubo o un rectángulo al multiplicar lo largo por lo ancho por lo alto. 1000 centímetros cúbicos son 1 litro.

LA TEMPERATURA es la medida del calor o del frío que tiene un objeto. Se mide la temperatura con un termómetro en grados Celsio °C o en grados Fahrenheit °F. Generalmente se usa la escala Celsio en las ciencias.

En los Estados Unidos, la gente usa por lo general las unidades de medida inglesas, tales como las onzas, las libras, las pulgadas y los pies. En la mayoría de los otros países, se usan las unidades métricas. Las unidades métricas incluyen el gramo, el kilogramo, el metro y el centímetro. Los científicos también usan el sistema métrico. En las ciencias, vas a usar las unidades métricas la mayoría de las veces.

El sistema métrico se basa en las unidades de diez. Cada unidad es diez veces más pequeña o más grande que la unidad siguiente. Esto quiere decir que una unidad se hace más grande al multiplicarla por 10 y se hace más pequeña al dividirla por 10. Los prefijos describen el valor de una unidad. A continuación hay una lista de los prefijos y sus significados.

PREFIJO	SIGNIFICADO	
kilo-	mil (1,000)	cada uno, más grande por un múltiplo de diez
hecto-	cien (100)	
deca-	diez (10)	
deci-	un décimo (1/10)	cada uno, más pequeño por un múltiplo de 1/10
centi-	un centésimo (1/100)	
mili-	un milésimo (1/1,000)	

Usa la tabla de arriba para contestar las siguientes preguntas.

1. Para cambiar de decenas a centenas, multiplicas por ___10___.
   <small>1, 10, 100</small>

2. Para cambiar de centenas a millares, multiplicas por ___10___.
   <small>1, 10, 100</small>

3. En el sistema métrico, para cambiar de una unidad a la próxima que es más alta, ¿qué tienes que hacer? ___multiplicar por 10___

4. Para cambiar de una unidad a la próxima que es más baja, tienes que dividir por ___10___.
   <small>1, 10, 100</small>

5. ¿Cuál de los prefijos representa el valor más grande?

   a) ¿deca- o kilo-? ___kilo-___   d) ¿hecto- o kilo-? ___kilo-___

   b) ¿kilo- o mili-? ___kilo-___   e) ¿centi- o deci-? ___deci-___

   c) ¿centi- o mili-? ___centi-___   f) ¿deca- o deci-? ___deca-___

3

1. En el sistema métrico, la unidad de <u>masa</u> es el _____<u>kilogramo</u>_____ .
   metro, kilogramo, libra

2. La masa y el peso _____<u>no</u>_____ son iguales.
   sí, no

3. _____<u>La masa</u>_____ es una medida de la cantidad de materia en un objeto.
   La masa, El peso

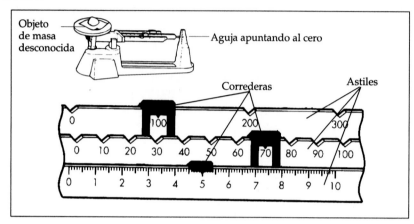

Figura A

4. ¿Qué instrumento se usa para medir la masa? _____<u>balanza</u>_____

5. ¿Qué es la masa del objeto en el diagrama? _____<u>175 gramos</u>_____

CIERTO O FALSO

En el espacio en blanco, escribe "Cierto" si la oración es cierta. Escribe "Falso" si la oración es falsa.

<u>Cierto</u>   1. El peso es la medida de la atracción de la gravedad sobre un objeto.

<u>Falso</u>   2. Los científicos usan las unidades de medida inglesas.

<u>Cierto</u>   3. El prefijo "centi-" representa un centésimo (1/100).

<u>Falso</u>   4. Se usa una probeta graduada para medir la masa.

<u>Cierto</u>   5. La unidad de medida básica del sistema métrico es el metro.

<u>Falso</u>   6. El volumen es la medida de la cantidad de materia de que se consti tuye un objeto.

<u>Falso</u>   7. Un kilogramo es inferior a un gramo.

<u>Cierto</u>   8. Una medida tiene dos partes.

<u>Cierto</u>   9. La unidad es la cantidad que se usa para medir algo.

<u>Cierto</u>   10. En la mayoría de los países se usa el sistema métrico.

La longitud se mide con una regla métrica. Una sección de una regla mixta de sistema métrico y de pulgadas se muestra en la Figura B. Por el lado métrico de la regla, la distancia entre las líneas numeradas equivale a un centímetro. Cada centímetro se divide en 10 partes iguales. Cada una de estas partes equivale a un milímetro.

Este diagrama muestra una regla mixta de sistema métrico y de pulgadas.

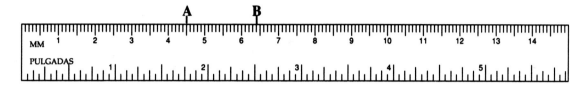

Figura B

1. ¿Qué valor representa el prefijo <u>mili-</u>? _____un milésimo (1/1000)_____

2. ¿Qué valor representa el prefijo <u>centi-</u>? _____un centésimo (1/100)_____

3. ¿Cuál es <u>más</u> <u>grande</u>, un metro o un milímetro? _____un metro_____

4. ¿Cuántos milímetros hay en un centímetro? _____10_____

5. Se puede escribir la longitud hasta el punto A como 45 mm.

    También se la puede escribir como _____4.5 cm_____

    45 cm, 4.5 cm, 4.5 mm

6. La longitud hasta el punto B se puede escribir como ___64___ mm o ___6.4___ cm.

Mide cada una de las siguientes longitudes. Escribe las longitudes a la derecha en centímetros y en milímetros.

7. _____   7. ___9___ cm ___90___ mm

8. _____   8. ___6.2___ cm ___62___ mm

9. _____   9. ___2.0___ cm ___20___ mm

10. _____   10. ___10___ cm ___100___ mm

A la derecha de cada longitud dada por escrito, <u>traza</u> una línea de esa longitud.

a) 92 mm

b) 9.2 cm

                                       Revise los dibujos de los estudiantes.

c) 43 mm

d) 3.5 cm

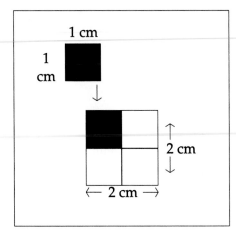

El cuadrado de la Figura C tiene un área de 2 centímetros cuadrados (2 cm²).

Área = 1 × w (largo × ancho)

     = 2 cm × 2 cm

Área = 4 centímetros cuadrados (4 cm²).

Figura C

Calcula el área de cada uno de los siguientes rectángulos. (Tienes que medir las Figuras G y H por tu cuenta.)

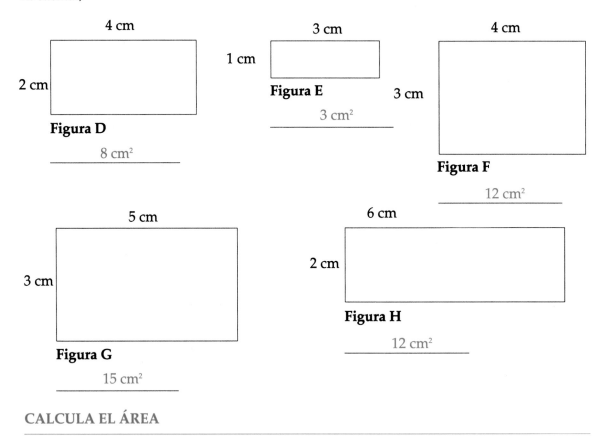

Figura D

_____ 8 cm² _____

Figura E

_____ 3 cm² _____

Figura F

_____ 12 cm² _____

Figura G

_____ 15 cm² _____

Figura H

_____ 12 cm² _____

CALCULA EL ÁREA

Calcula los áreas de los siguientes rectángulos:

1. 5 metros × 5 metros _____ 25 m² _____

2. 5 cm × 5 cm _____ 12.5 cm² _____

3. 10 milímetros × 10 milímetros _____ 100 mm² _____

El volumen de los líquidos se mide con una <u>probeta graduada</u>. Una probeta graduada es un tubo de vidrio marcado con divisiones para indicar la cantidad de líquido que hay por dentro. Para medir el volumen de líquidos, tienes que poner la probeta <u>al nivel de la vista</u>. La superficie del líquido tendrá una curva "boca abajo". Debes fijarte en la marca que esté al nivel del <u>fondo</u> de esta curva.

¿Qué es el volumen del líquido en esta probeta graduada?

_____ 45 mL _____

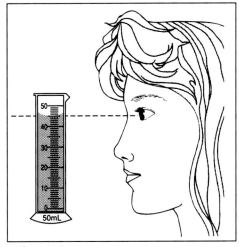

Figura I

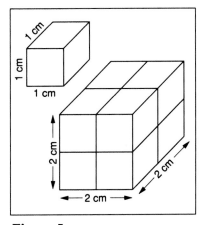

Figura J

¿Qué es el volumen de un cubo que mide 2 cm × 2 cm × 2 cm?

Volumen= **l** × **w** × **h**   (largo × ancho × alto)

= 2 cm × 2 cm × 2 cm

Volumen= 8 centímetros cúbicos (8 cm³).

Calcula el volumen de cada uno de los siguientes cubos:

		Volumen
1.	2 cm × 5 cm × 1 cm	10 cm³
2.	8 m × 2 m × 2 m	32 m³
3.	1 mm × 1 mm × 10 mm	10 mm³
4.	4 cm × 2 cm × 3 cm	24 cm³
5.	5 m × 3 m × 6 m	90 m³

PARA LEER UN TERMÓMETRO DE CELSIO

Se mide la temperatura con un termómetro. Muchos de los termómetros, aun los que conoces bien, se hacen de tubos de vidrio. Al fondo del tubo hay una parte más ancha que se llama la cubeta. La cubeta se llena con un líquido, tal como el mercurio. Cuando se calienta la cubeta, el líquido en la cubeta se dilata, o sea, ocupa más lugar. Sube por el tubo. Cuando se enfría la cubeta, el líquido se contrae, o sea, ocupa menos lugar. Baja por el tubo.

En los lados de un termómetro hay una serie de marcas. Se lee la temperatura al mirar la marca hasta donde ha subido o bajado el líquido.

En los espacios en blanco, escribe la temperatura que se ve en cada termómetro celsio.

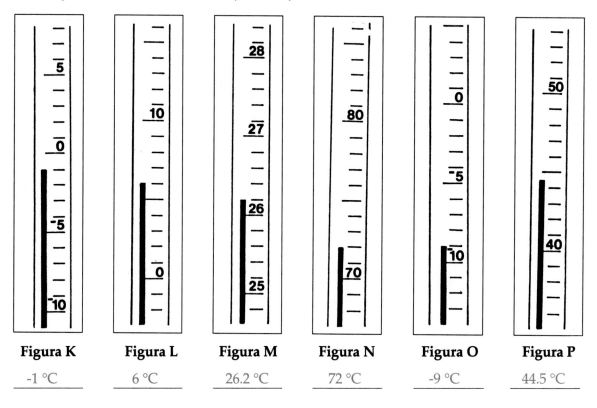

Figura K	Figura L	Figura M	Figura N	Figura O	Figura P
-1 °C	6 °C	26.2 °C	72 °C	-9 °C	44.5 °C

AMPLÍA TUS CONOCIMIENTOS

Un centímetro cúbico equivale a un mililitro (mL). ¿Cuántos <u>litros</u> de agua se pueden echar en un tazón de 1800 cm³? 1.8 L

¿Qué son los métodos científicos?

2

datos: registro de las observaciones
hipótesis: solución propuesta para un problema que se basa en conocimientos adquiridos
métodos científicos: guía para solucionar problemas

¿Qué son los métodos científicos?

Sin darte cuenta, resuelves problemas todos los días. No siempre piensas en cómo resolver un problema en particular. Resuelves los problemas de una manera "natural", de una manera que "tiene sentido". Y, generalmente, sí tiene sentido.

Por ejemplo, supongamos que metes la llave en la puerta de la casa y tratas de darle vuelta, pero no se mueve. Te preguntas qué está mal. Revisas la llave para asegurarte de que sea la correcta. Luego, lo intentas de nuevo. Pero, todavía no se mueve. ¿Entonces, qué? Puedes agitar la llave. O, puedes tirar de la puerta por el pomo mientras tratas de dar vuelta a la llave. Una de estas soluciones te puede resultar. Si no, empleas otros métodos hasta que el problema esté resuelto.

Sin saberlo, resuelves problemas de un modo muy parecido al de un científico. Usas los **métodos científicos.** Los métodos científicos son una guía que se usa para resolver los problemas. Con ellos se hacen preguntas, se hacen observaciones y se comprueban las soluciones de una manera ordenada. Los científicos siguen ciertos pasos para resolver los problemas. Los pasos para los métodos científicos son:

- **IDENTIFICAR EL PROBLEMA** Exprésalo claramente, por lo general en forma de pregunta.

- **REUNIR INFORMACIÓN** Investígalo; haz preguntas. Descubre lo que ya se sabe sobre el problema.

- **HAZ UNA HIPÓTESIS** Una **hipótesis** es una solución que se propone para explicar por qué sucede algo.

- **COMPRUEBA LA HIPÓTESIS** Haz experimentos y revisa la situación para comprobar la hipótesis.

- **HAZ OBSERVACIONES DETALLADAS** Apunta o anota todo lo que perciben tus sentidos. Anota los **datos.** Haz anotaciones detalladas en un registro.

- **ORDENA Y ANALIZA LOS DATOS** Ordena los datos. Muchas veces los científicos usan tablas y gráficas para ordenar los datos. Averigua lo que <u>sig nifican</u> los datos.

- **SACA UNA CONCLUSIÓN** Explica los datos. Afirma si los datos comprue ban o no la hipótesis.

Los diferentes problemas requieren diferentes maneras de resolverlos. No hay que usar todos los pasos de los métodos científicos. Además, se pueden usar los pasos en cualquier orden.

A continuación hay seis figuras y seis leyendas. Cada leyenda describe una de las figuras. Escoge la leyenda que mejor describe cada ilustración. Escribe la leyenda apropiada en el espacio en blanco.

Haz tu selección de estas leyendas:

Identificar el problema	Hacer observaciones detalladas
Reunir información	Anotar los datos
Hacer una hipótesis	Analizar los datos
Comprobar la hipótesis	Sacar una conclusión

Figura A

1. _____ Anotar los datos _____

Figura B

2. _____ Hacer una hipótesis _____

Figura C

3. _____ Reunir información _____

Figura D

4. _____ Analizar los datos _____

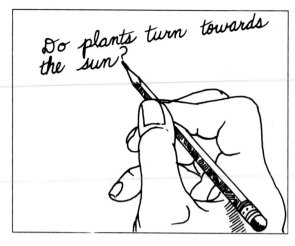

Figura E

5. _Identificar el problema_

Figura F

6. _Comprobar la hipótesis_

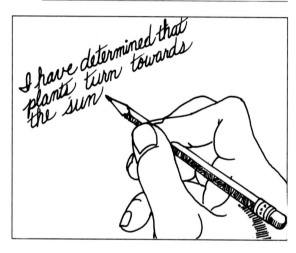

Figura G

7. _Sacar una conclusión_

Figura H

8. _Hacer observaciones detalladas_

HACER CORRESPONDENCIAS

Empareja cada término de la Columna A con su descripción en la Columna B. Escribe la letra correcta en el espacio en blanco.

	Columna A		**Columna B**
_e_	**1.** analizar	**a)**	explica los datos
_d_	**2.** los métodos científicos	**b)**	solución propuesta
_a_	**3.** la conclusión	**c)**	comprobar la hipótesis
_b_	**4.** la hipótesis	**d)**	pasos para resolver problemas
_c_	**5.** hacer experimentos	**e)**	averiguar el significado

En los dibujos a continuación se ven dos historias distintas. Sin embargo, los dibujos para cada una no están en el orden (la secuencia) correcto. En la tabla debajo de cada conjunto de dibujos, haz una lista de los dibujos en el orden correcto. También, explica lo que sucede en cada dibujo. Por último, escribe una hipótesis (en forma de una pregunta) y una conclusión.

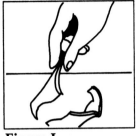

Figura I

Figura J

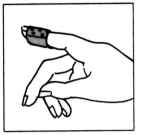

Figura K

Figura L

Paso	Figura	Explicación
1.	J	estudiante trabaja con útiles de vidrio en el mostrador del laboratorio
2.	L	el útil se rompe
3.	I	estudiante recoge pedazos de vidrio con las manos
4.	K	estudiante con el dedo vendado

Hipótesis: _Las respuestas variarán. Acepte todas las respuestas lógicas._

Conclusión: _Las respuestas variarán. Acepte todas las respuestas lógicas._

Figura M

Figura N

Figura O

Figura P

Paso	Figura	Explicación
1.	P	el coche sale del estacionamiento
2.	N	el coche va en exceso del límite de velocidad
3.	O	el coche seguido por la motocicleta del policía
4.	M	el policía le da una multa al chofer del coche

Hipótesis: _Las respuestas variarán. Acepte todas las respuestas lógicas._

Conclusión: _Las respuestas variarán. Acepte todas las respuestas lógicas._

COMPLETA LA ORACIÓN

Completa cada oración con una palabra o una frase de la lista de abajo. Escribe tus respuestas en los espacios en blanco.

comprueban	observar	diferentes
problemas	pregunta	ya se sabe
datos	métodos científicos	sentidos
pasos		

1. Para comprobar una hipótesis, los científicos pueden _____observar_____ los sucesos naturales.

2. Cuando los científicos hacen investigaciones, pueden averiguar lo que _____ya se sabe_____ sobre un problema.

3. Tus _____sentidos_____ te ayudan a reunir información.

4. Una conclusión afirma si los datos _____comprueban_____ o no una hipótesis.

5. Generalmente se escribe un problema en forma de una _____pregunta_____.

6. Los científicos siguen ciertos _____pasos_____ para resolver problemas.

7. Tú resuelves los _____problemas_____ como lo hacen los científicos.

8. Los diferentes problemas se pueden resolver de maneras _____diferentes_____.

9. Los _____métodos científicos_____ son una guía que se usa para resolver problemas.

10. Los científicos usan las tablas para ordenar los _____datos_____.

AMPLÍA TUS CONOCIMIENTOS

Elena jamás ha probado los espárragos. Tiene miedo de que la enfermen. Durante la cena, ella prueba algunos. Le gusta el sabor, pero dentro de poco, se siente náuseas. Elena saca la conclusión de que los espárragos la enferman.

1. ¿Por qué es posible que la conclusión de Elena sea <u>equivocada?</u>

   Las respuestas variarán. Una respuesta posible es que había otras cosas que le dieron

   náuseas.

2. ¿Qué más podría hacer ella para comprobar su conclusión?

   Las respuestas variarán. Una respuesta posible es que podría volver a probar los

   espárragos y observar si se vuelve a enfermar.

¿Cómo se hacen los experimentos con seguridad?

3

cáustico: lo que puede quemar e irritar la piel
símbolos de advertencia para la seguridad: señales que avisan sobre riesgos y peligros

LECCIÓN 3 | ¿Cómo se hacen los experimentos con seguridad?

Muchas de las actividades de aprendizaje en las escuelas incluyen experiencias que exigen participación directa. Las ciencias, especialmente, se prestan al método de "aprender haciendo". Tú investigas; tú haces que algo suceda; tú aprendes de lo que tú haces.

Las investigaciones científicas pueden ser emocionantes. Sin embargo, también pueden ser peligrosas. En los laboratorios científicos hay aparatos y materiales que pueden ser peligrosos si no se los manejen con cuidado. Por esta razón, es importante que siempre obedeces las reglas apropiadas para la seguridad. Las reglas para la seguridad sirven tanto para protegerte como para proteger a todos a tu alrededor.

En la página 17 hay una lista de las reglas que debes obedecer. Lee estas reglas con atención. Fíjate en los **símbolos de advertencia para la seguridad** que acompañan las reglas. En este libro, los símbolos de advertencia para la seguridad se incluyen al principio de algunas actividades para que te des cuenta de las cautelas debidas para la seguridad. Siempre debes fijarte en todos los símbolos para la seguridad y las declaraciones de cautela con todas las actividades.

Para evitar los accidentes en el laboratorio científico, siempre debes seguir las instrucciones de tu maestro o tu maestra. Jamás debes hacer una actividad sin las instrucciones del maestro o de la maestra. Además, nunca debes trabajar solo en el laboratorio.

Hay un riesgo que no tiene símbolo aunque sea la causa de más accidentes que cualquier otro riesgo. Ese riesgo es el de "hacer payasadas" o "jugar bruscamente". Estos comportamientos en el laboratorio pueden resultar en las heridas graves o hasta la muerte. Así que siempre PIÉNSALO BIEN antes de hacer tonterías.

ROPA PROTECTORA • Una bata protege la ropa de las manchas.
• Siempre sujeta la ropa suelta.

 SEGURIDAD PARA LA VISTA • Siempre hay que ponerte lentes protectores. • Si algo se mete en los ojos, enjuágalos con mucha agua.
• Asegúrate de que sabes usar el sistema de lavado de emergencia en el laboratorio.

 SEGURIDAD CONTRA INCENDIOS • Jamás debes acercarte a una llama más que lo necesario. • Nunca debes alargar el brazo por encima de una llama. • Siempre sujeta la ropa suelta. • Sujeta bien el pelo suelto.
• Recuerda dónde estén el extintor de incendio y la manta contra incendios.
• Cierra los grifos (las válvulas) para el gas cuando no estén en uso.
• Sigue siempre los procedimientos apropiados para encender los mecheros.

 VENENO • Nunca debes tocar, probar ni oler ninguna sustancia desconocida. Espera las instrucciones del maestro.

 SUSTANCIAS CÁUSTICAS • Algunas sustancias químicas pueden irritar y quemar la piel. Si la piel llega a tocar una sustancia química, enjuágala con mucha agua. Avisa al maestro inmediatamente.

 SEGURIDAD DE CALEFACCIÓN • Maneja objetos calientes con pinzas o tenazas o con guantes con aislante. • Coloca los objetos calientes sólo sobre una superficie especial en el laboratorio o sobre un cojinillo resistente al calor. Nunca debes colocarlos directamente en una mesa o un escritorio.

 OBJETOS AFILADOS • Maneja los objetos afilados con cuidado.
• Nunca apuntes un objeto afilado ni a ti mismo ni a otra persona.
• Siempre debes cortar en sentido opuesto al cuerpo.

 VAPORES TÓXICOS • Algunos vapores (o gases) pueden hacer daño a la piel, a los ojos y a los pulmones. Jamás debes inhalar los vapores directamente. • Siempre usa la mano para "empujar" una pequeña cantidad del vapor hacia la nariz.

 SEGURIDAD CON OBJETOS DE CRISTAL • Jamás debes usar ningún útil de cristal que sea astillado o roto. • Nunca recojas el cristal roto con la mano.

 LIMPIEZA • Lávate bien las manos después de todas las actividades en el laboratorio.

 SEGURIDAD CON ELECTRICIDAD • Nunca debes usar un aparato eléctrico cerca del agua ni sobre una superficie mojada. • No debes usar cordones o cables si la envoltura está desgastada. • Nunca debes manejar un aparato eléctrico con las manos mojadas.

 ELIMINACIÓN DE BASURAS • Tira todos los materiales correctamente, de acuerdo con las instrucciones del maestro.

UTILIZANDO LAS REGLAS DE SEGURIDAD

Contesta las siguientes preguntas con oraciones completas.

1. Juanita tiene el pelo largo. ¿Qué debe hacer antes de trabajar cerca de una llama?

   Debe sujetar el pelo.

2. Un tubo de cristal se ha roto. ¿Cómo debes recoger los pedazos?

   Los debo recoger con un guante protector o con pinzas.

3. ¿Por qué debes ponerte lentes protectores durante <u>todas</u> las actividades en el laboratorio? Los debo ponerme para proteger los ojos.

4. ¿Qué otra cosa debes ponerte? Debo ponerme la bata para proteger la ropa.

5. Una sustancia química está en la piel. Crees que no te hará daño, pero no estás seguro. ¿Qué debes hacer? Debo enjuagar la piel con agua y avisar al maestro (a la maestra).

IDENTIFICAR LOS SÍMBOLOS DE ADVERTENCIA PARA LA SEGURIDAD

A continuación hay seis símbolos de advertencia para la seguridad. Emparéjalos con sus significados. Escribe la <u>letra</u> correcta al lado de cada descripción.

a.	b.	c.	d.	e.	f.

e 1. seguridad con electricidad	f 4. ropa protectora	
b 2. seguridad contra incendios	d 5. objetos afilados/puntiagudos	
c 3. seguridad de calefacción	a 6. seguridad con objetos de cristal	

AMPLÍA TUS CONOCIMIENTOS

En el marco de la derecha, diseña un símbolo para significar "NO HAGAN PAYASADAS". Puedes dibujarlo o describirlo o puedes hacer las dos cosas. Tal vez puedes inventar más de un símbolo.

¿Cómo sabemos si algo está vivo?

4

adaptación: característica de un organismo que ayuda al organismo a sobrevivir
organismos: seres vivos
respuesta: reacción a un cambio en el medio ambiente
estímulo: cambio en el medio ambiente

El mundo que te rodea está compuesto de muchas cosas diferentes. Algunas cosas, tales como las plantas y los animales, tienen vida. Otras cosas, tales como los coches y las rocas, no tienen vida.

Los seres vivos (los que tienen vida) son **organismos**. Sabes que las plantas y los animales son seres vivos. ¿Cómo lo sabes? Todos los seres vivos tienen las características siguientes:

CÉLULAS Los seres vivos consisten en una o más células. Muchas veces se las llaman "los ladrillos para construir la vida".

ENERGÍA Todos los organismos usan energía. Sacas la energía de los alimentos que comes.

RESPUESTA Los seres vivos reaccionan o **responden** a los cambios en el medio ambiente. Por ejemplo, un ruido fuerte repentino te hace resaltar. Cuando sale el sol, se abren los pétalos de una flor.

ADAPTACIÓN Los organismos se **adaptan** o se conforman con su ambiente. Por ejemplo, los osos polares viven en temperaturas de bajo cero. Tú y casi todos los otros organismos no pueden hacerlo. Los osos polares están adaptados al frío penetrante. Tienen una capa de grasa gruesa y el pelo espeso.

REPRODUCCIÓN Los seres vivos producen más seres de su propia índole. Sólo los organismos pueden reproducirse. Los ratones sólo se nacen de ratones. Los olmos sólo producen otros olmos. Las rosas sólo producen otras rosas.

CRECIMIENTO Y DESARROLLO Los seres vivos cambian o se desarrollan durante sus ciclos vitales. Una forma en que cambian los organismos es por el crecimiento. Te has crecido desde el momento en que naciste. Cuando los seres vivos crecen, crecen de por dentro. Sólo los seres vivos pueden crecer por su propia cuenta.

Cualquier cosa que causa un cambio, o una actividad, en un organismo es un **estímulo**. Los estímulos vienen tanto de por dentro como de por fuera de un organismo. El cambio o la actividad que resulta del estímulo es una **respuesta**. Un estímulo es como un mensaje. Una respuesta es como una contestación al mensaje.

En cada ilustración se ven un estímulo y una respuesta. ¿Qué son el estímulo y la respuesta en cada ilustración? Escribe tus respuestas en los espacios en blanco debajo de cada figura.

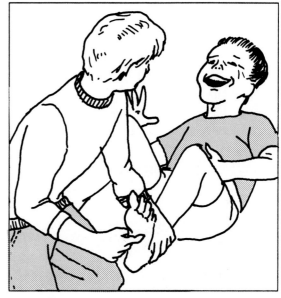

Figura A

Estímulo   la luz solar

Respuesta   la planta crece en dirección

del sol

Figura B

Estímulo   cosquillas en el pie

Respuesta   la risa

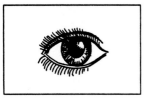

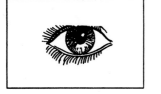

Estos tres dibujos muestran cómo las pupilas del ojo reaccionan a la luz. La luz es un estímulo. El dibujo de arriba muestra cómo puede ser la pupila en un cuarto oscuro. El dibujo al fondo muestra cómo puede ser la pupila con mucha luz. El dibujo entre los dos muestra el ojo a luz normal.

1. Con mucha luz, ¿qué le pasa al tamaño de las pupilas?

   Las pupilas se ponen más pequeñas.

2. Con luz pálida, ¿qué sucede con el tamaño de la pupila?

   Las pupilas se ponen más grandes.

3. ¿Cómo crees que esta reacción por parte de la pupila le ayude a una persona?

   Las respuestas variarán. Acepte todas las respuestas lógicas.

Figura C

Una característica que ayuda a que un organismo viva en su medio ambiente es una adaptación. Las adaptaciones pueden tener muchas formas. He aquí algunos ejemplos.

Figura D *Un pájaro carpintero tiene el pico fuerte y puntiagudo, adaptado para extraer insectos.*

Figura E *Las aves tienen plumas y huesos livianos, bien adaptados para el vuelo.*

Figura F *La forma "aerodinámica" del pez lo permite moverse rápidamente en el agua.*

Figura G *Un cacto tiene un tallo grueso y curtido que almacena el agua. Está adaptado al ambiente árido del desierto.*

HACER CORRESPONDENCIAS

Empareja cada organismo de la Columna A con su ambiente más apropiado en la Columna B. Escribe la letra correcta en el espacio en blanco.

Columna A	Columna B
_e_ **1.** el oso polar	**a)** el bosque
_a_ **2.** el venado	**b)** el desierto
_d_ **3.** el pez dorado	**c)** la tierra
_b_ **4.** el cacto	**d)** el agua
_c_ **5.** la lombriz	**e)** el clima frío y nevado

Una adaptación muy importante de los seres humanos es el dedo pulgar. ¿Qué importante es el pulgar? Puede ser aún más importante de lo que piensas. . .

Figura H

Intenta hacer esto:

Sujeta con cinta adhesiva el pulgar y el dedo índice de la mano que más usas. Luego, trata de hacer las siguientes actividades...

1. Abotona (o desabotona) un botón.

2. Levanta un libro.

3. Da vuelta al pomo de la puerta.

4. Sostén un objeto como lo harías con un martillo.

5. Da vuelta a un destornillador.

¿Qué importante es el dedo pulgar? ¡Responde a la pregunta <u>tú</u>!

¿Crees que nuestra civilización estaría tan avanzada si las personas no tuvieran pulgares? Acepte todas las respuestas lógicas.

Explica tu respuesta. Una posible respuesta indicará el hecho de que muchas tareas ordinarias serían mucho más difíciles, si no imposibles, de hacer si los seres humanos no tuvieran dedos pulgares.

COMPLETA LA ORACIÓN

Completa cada oración con una palabra o una frase de la lista de abajo. Escribe tus respuestas en los espacios en blanco. Se pueden usar algunas palabras más de una vez.

energía adaptados responden
células   reproducen organismos
estímulo

1. Los seres vivos están compuestos de una o más ___células___.

2. Todos los seres vivos ___reproducen___ seres de su propia índole.

3. Los seres vivos son ___organismos___.

4. Cualquier cosa que causa un cambio o una actividad en un organismo es un ___estímulo___.

5. Sacas ___energía___ de los alimentos.

6. Los seres vivos ___responden___ a los cambios en el medio ambiente.

7. Las rosas solamente ___reproducen___ rosas.

8. Las ___células___ se llaman "los ladrillos para construir la vida".

9. Los osos polares están ___adaptados___ al frío penetrante.

CIERTO O FALSO

En el espacio en blanco, escribe "Cierto" si la oración es cierta. Escribe "Falso" si la oración es falsa.

___Falso___   **1.**   Los estímulos sólo vienen por fuera de un organismo.

___Falso___   **2.**   En la luz pálida, las pupilas se ponen más pequeñas.

___Cierto___   **3.**   Sólo los seres vivos pueden crecer por su propia cuenta.

___Cierto___   **4.**   Una respuesta es como una contestación a un mensaje.

___Cierto___   **5.**   Las plantas se reproducen.

___Falso___   **6.**   Todos los seres vivos están compuestos de más de una célula.

___Cierto___   **7.**   El tallo grueso de un cacto lo ayuda a sobrevivir en el desierto.

___Cierto___   **8.**   Todos los seres vivos usan energía.

___Falso___   **9.**   Solamente los animales están compuestos de células.

¿Cuáles son los procesos de vida?

5

circulación: transporte de productos útiles a todas partes del cuerpo
digestión: descomposición de alimentos en formas útiles
excreción: eliminación de los desechos
ingestión: acción de comer alimentos
respiración: proceso por el cual los organismos sacan energía de los alimentos

Los organismos tienen que llevar a cabo ciertos procesos para sostener la vida. Estos procesos se llaman procesos de vida. Los procesos de vida también son características de todos los seres vivos.

Lo que sigue es una lista de los procesos de vida:

LA INGESTIÓN Un animal no puede producir sus propios alimentos dentro del cuerpo. Los animales tienen que ingerir o comerse los alimentos y el agua por fuera del cuerpo. Este proceso de vida se llama la ingestión. La ingestión es la acción de comer alimentos.

Las plantas son diferentes. Las plantas no toman los alimentos. Las plantas pueden producir sus propios alimentos. Sin embargo, las plantas sí extraen materiales importantes, tal como el agua, de la tierra.

LA DIGESTIÓN La digestión es la descomposición de alimentos en una forma que se puede usar. Tanto las plantas como los animales tienen que digerir los alimentos. Las plantas y los animales producen sustancias químicas especiales que cambian los alimentos en una forma útil.

En muchos animales, la digestión sucede principalmente en el estómago y el intestino delgado. En la mayoría de las plantas, la digestión sucede donde los alimentos se fabrican: en las hojas.

LA RESPIRACIÓN La respiración es el arrojamiento de energía que resulta de la combinación del oxígeno con los alimentos digeridos. Durante la respiración, se usa el oxígeno para deshacer los alimentos en pedacitos. Este proceso produce la energía. El agua y el dióxido de carbono también son productos. Son los desechos de la respiración.

LA EXCRECIÓN La excreción es la eliminación de los desechos. El cuerpo produce muchos desechos. Hay que expulsar estos desechos del cuerpo.

LA CIRCULACIÓN La circulación es el transporte de los productos útiles a todas las partes de un organismo y el llevarse para fuera de los desechos. La circulación también se llama el transporte.

¿Cuál de las funciones de vida ves en cada dibujo? Escribe la función de vida debajo del dibujo.

Figura A _____CIRCULACIÓN_____

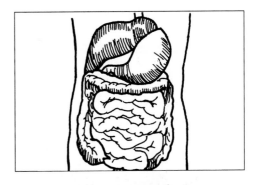

Figura B _____DIGESTIÓN_____

Figura C _____INGESTIÓN_____

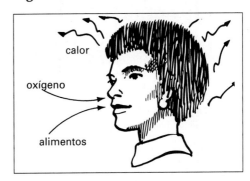

Figura D _____RESPIRACIÓN_____

Figura E _____EXCRECIÓN_____

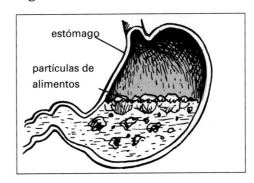

Figura F _____DIGESTIÓN_____

Figura G _____INGESTIÓN_____

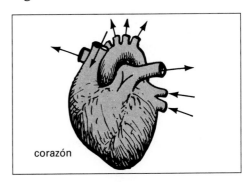

Figura H _____CIRCULACIÓN_____

27

Lo que necesitas (los materiales)

dos tubos de ensayo
soporte para los tubos
agua

sustancia química digestiva
clara de un huevo duro pasado por agua

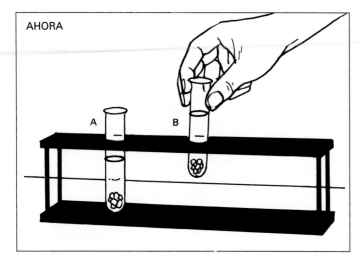

Figura I

Figura J

Cómo hacer el experimento (el procedimiento)

1. Mete en un tubo de ensayo un pedazo de la clara de un huevo duro pasado por agua.

2. Añade agua al tubo de ensayo y pon una etiqueta en el tubo que dice "A".

3. Coloca el tubo de ensayo en el soporte.

4. Mete otro pedazo de la clara de huevo en un segundo tubo de ensayo.

5. Añade agua a este tubo de ensayo. Luego, echa algo de la sustancia química digestiva en este mismo tubo.

6. Pon una etiqueta en este tubo que dice "B" y coloca el tubo en el soporte.

7. Déjalos por una noche.

Lo que aprendiste (las observaciones)

1. La clara de huevo del tubo de ensayo "A" ___no___ cambió.
   sí, no

2. La clara de huevo del tubo de ensayo "B" ___sí___ cambió.
   sí, no

3. La digestión sucede en el tubo de ensayo ___B___ .
   A, B

4. La clara de huevo está convirtiéndose en ___líquido___ .
   sólido, líquido

5. El agua por sí solo ___no___ digiere los alimentos.
sí, no

6. ¿Qué está en el tubo de ensayo "B" que no está en el tubo de ensayo "A"?

la sustancia química digestiva

Algo en que pensar (las conclusiones)

¿Cuál de los procesos de vida sucede en el tubo de ensayo "B"?___la digestión___

CIERTO O FALSO

En el espacio en blanco, escribe "Cierto" si la oración es cierta. Escribe "Falso" si la oración es falsa.

___Falso___ **1.** Algunos animales pueden vivir sin alimentos.

___Cierto___ **2.** Los animales necesitan ingerir los alimentos.

___Cierto___ **3.** Las plantas pueden producir sus propios alimentos.

___Cierto___ **4.** Tanto las plantas como los animales tienen que digerir los alimentos.

___Falso___ **5.** Una planta ingiere el agua por las hojas.

___Falso___ **6.** La ingestión y la digestión son iguales.

___Cierto___ **7.** Cuando los alimentos estén digeridos, se convierten en un líquido.

___Falso___ **8.** Después de la digestión, un bistec sigue siendo un bistec.

___Falso___ **9.** Cada ser vivo tiene un estómago.

___Cierto___ **10.** En las plantas, la mayor parte de la digestión sucede en las hojas.

HACER CORRESPONDENCIAS

Empareja cada término de la Columna A con su descripción en la Columna B. Escribe la letra correcta en el espacio en blanco.

Columna A	Columna B
___d___ **1.** la excreción	**a)** produce energía
___e___ **2.** la digestión	**b)** transporte de productos útiles
___b___ **3.** la circulación	**c)** comer o absorber alimentos
___a___ **4.** la respiración	**d)** eliminar los desechos
___c___ **5.** la ingestión	**e)** descomposición de alimentos

CONTESTACIONES MÚLTIPLES

En el espacio en blanco, escribe la letra de la palabra o frase que mejor completa cada oración.

_____c_____ **1.** El oxígeno se usa para deshacer en pedazos los alimentos durante la

  a. ingestión.　　　　　　　　**b.** digestión.

  c. respiración.　　　　　　　**d.** circulación.

_____a_____ **2.** En muchos animales, la digestión sucede principalmente en el estómago y en

  a. el intestino delgado.　　　**b.** el intestino grueso.

  c. los pulmones.　　　　　　**d.** los riñones.

_____d_____ **3.** La eliminación de los desechos es la

  a. ingestión.　　　　　　　　**b.** digestión.

  c. circulación.　　　　　　　**d.** excreción.

_____b_____ **4.** El transporte es otra forma de referirse a la

  a. digestión.　　　　　　　　**b.** circulación.

  c. ingestión.　　　　　　　　**d.** excreción.

_____c_____ **5.** Dos desechos de la respiración son

  a. el agua y el oxígeno.　　　**b.** el oxígeno y el dióxido de carbono.

  c. el agua y el dióxido de carbono. **d.** alimentos y agua.

AMPLÍA TUS CONOCIMIENTOS

La excreción expulsa los desechos del cuerpo. ¿Qué crees que podría suceder si los desechos acumularan en el cuerpo? Las respuestas variarán. Acepte todas las respuestas lógicas.

_____

_____

¿Qué necesitan los seres vivos para sostenerse?

6

LECCIÓN 6 | ¿Qué necesitan los seres vivos para sostenerse?

Imagínate que te han escogido para hacer un viaje a la luna. ¿Qué llevarías contigo? ¿Agua y alimentos? Sí, claro. Pero, ¿es todo?

No hay oxígeno en el espacio. Donde brilla el sol, hace muchísimo calor. Donde no hay luz solar, no se puede aguantar el frío. En la luna, tendrías que ponerte un traje espacial para protegerte contra los extremos de la temperatura. También necesitarías un abastecimiento de oxígeno.

¿Qué tienes que llevar para un viaje a la luna? En breve, tendrías que llevar <u>tu propio medio ambiente</u>.

Los seres vivos están en contacto constante con su medio ambiente. En la Tierra, el medio ambiente les proporciona a los organismos todo lo necesario para sostenerse. Todos los seres vivos necesitan alimentos, oxígeno, agua y temperatura adecuada. Las plantas también necesitan dióxido de carbono. ¿En qué forma es importante cada una de estas cosas?

LOS ALIMENTOS Los alimentos les proporcionan a los organismos energía para la vida. También les proporcionan a los organismos los materiales que necesitan para crecer y para repararse. Los animales obtienen los alimentos fuera del cuerpo al alimentarse de plantas u otros animales. Las plantas fabrican sus propios alimentos.

EL AIRE El aire es una mezcla de gases. El oxígeno es uno de estos gases. Los seres vivos utilizan el oxígeno para la respiración. Durante la respiración, el oxígeno deshace los alimentos. Y así produce energía.

Los organismos terrestres sacan la mayor parte de su oxígeno del aire. Los organismos que viven en el agua sacan el oxígeno que está disuelto en el agua.

El dióxido de carbono es otro gas en el aire. Las plantas necesitan dióxido de carbono para fabricar su propia alimentación.

AGUA Todos los seres vivos consisten mayormente en agua. En realidad, entre el 65 por ciento y el 95 por ciento del cuerpo de un organismo puede ser formado por agua. Los materiales que se necesitan para los procesos de vida están disueltos en este agua.

TEMPERATURA ADECUADA Los organismos viven en muchos climas distintos. Algunos viven en climas cálidos. Otros viven en climas fríos. La temperatura del medio ambiente es importante para todos los seres vivos.

Mira las ilustraciones. Luego, contesta las preguntas.

1. ¿De dónde adquieren los animales sus alimentos? De plantas y de otros animales.

Figura A

2. ¿Se alimentan todos los animales de la misma clase de alimentos? No.

3. ¿Por qué necesitan alimentos los organismos? Para conseguir la energía.

Figura B

4. ¿Absorben los alimentos por fuera del cuerpo las plantas? No.

5. ¿De dónde adquieren la alimentación? Fabrican su propia alimentación.

6. ¿Qué gas necesitan las plantas para fabricar su propia alimentación? El dióxido de carbono.

7. ¿Por qué parte de una planta entra el agua? Por las raíces.

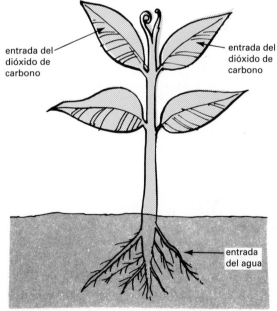

entrada del dióxido de carbono

entrada del dióxido de carbono

entrada del agua

Figura C

33

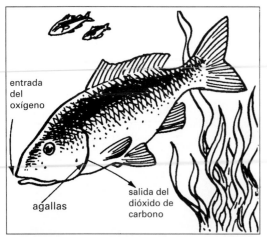

Figura D

8. El oxígeno que respiran los peces está disuelto en el ___agua___ .

9. Los peces respiran oxígeno a través de ___agallas___ .
agallas, pulmones

10. Los seres vivos necesitan oxígeno para el proceso de la ___respiración___ .

11. Durante la respiración, los peces emiten ___dióxido de carbono___ como un desecho.
oxígeno, dióxido de carbono

12. ¿Por qué necesitan agua todos los seres vivos? ___Se necesita el agua para llevar a cabo las funciones de vida.___

Figura E

13. ¿Cómo ingieren el agua la mayoría de los animales? ___Por la boca___ .

14. ¿Por qué tienen muchas plantas del desierto raíces muy profundas en la tierra? ___El agua en el desierto generalmente está a grandes profundidades en la tierra.___

Figura F

ANIMALES DE SANGRE CALIENTE Y DE SANGRE FRÍA

Algunos animales tienen sangre fría y algunos tienen sangre caliente. La temperatura del cuerpo de un animal de sangre fría cambia de acuerdo con la temperatura del ambiente que rodea al animal. Los peces son animales de sangre fría. Las ranas y los sapos también tienen sangre fría. Y las tortugas también. La temperatura del cuerpo de un animal de sangre caliente se mantiene casi igual todo el tiempo. La temperatura de un animal de sangre caliente no cambia cuando cambia la temperatura del ambiente que lo rodea. ¿Cuáles son algunos animales de sangre caliente? Las aves son de sangre caliente. Las ardillas y los gatos son otros ejemplos de animales de sangre caliente.

1. La temperatura del cuerpo de un animal de sangre fría __cambia__ cuando la
temperatura de su ambiente cambia.
cambia, se queda igual

2. La temperatura del cuerpo de un animal de sangre caliente __se queda igual__ cuando
la temperatura de su ambiente cambia.
cambia, se queda igual

3. Los peces y las ranas son animales __de sangre fría__ .
de sangre caliente, de sangre fría

4. Las aves son animales __de sangre caliente__ .
de sangre caliente, de sangre fría

5. Las tortugas son animales __de sangre fría__ .
de sangre caliente, de sangre fría

Las personas tienen sangre caliente. Pero, las personas no aguantan los extremos del frío o del calor. Así que las personas adaptan el ambiente para satisfacer sus necesidades. Por ejemplo, durante temporadas de frío, las personas calientan sus casas y se ponen ropa gruesa contra el frío. Durante temporadas de calor, las personas se ponen ropa liviana.

Figura G

6. ¿Por qué debes ponerte varias capas de ropa durante el invierno?
Las capas de ropa mantienen mejor el calor del cuerpo.

7. ¿Cómo controlan las personas el ambiente dentro de las casas y los edificios durante la temporada de calor? El aire acondicionado, menos ropa.

35

Completa cada oración con una palabra o una frase de la lista de abajo. Escribe tus respuestas en los espacios en blanco. Se pueden usar algunas palabras más de una vez.

medio ambiente	agua	raíces
oxígeno	dióxido de carbono	fuera
reparación	alimentos	

1. Todo lo que rodea a un organismo es su <u>medio ambiente</u> .

2. Las cosas que un organismo necesita para sostenerse son la temperatura adecuada, el <u>oxígeno</u> , los <u>alimentos</u> y el <u>agua</u> .

3. Los seres vivos consiguen lo que necesitan del <u>medio ambiente</u> .

4. Para fabricar su propia alimentación, las plantas necesitan el gas de <u>dióxido de carbono</u> .

5. Los seres vivos consisten principalmente en <u>agua</u> .

6. Una planta ingiere el agua a través de sus <u>raíces</u> .

7. Los alimentos les proporcionan a los organismos todos los materiales que necesitan para el crecimiento y para la <u>reparación</u> .

8. Los peces sacan el oxígeno que está disuelto en el <u>agua</u> .

9. Durante la respiración, el oxígeno se combina con <u>alimentos</u> digeridos para producir energía.

10. Los animales adquieren los alimentos por <u>fuera</u> del cuerpo.

AMPLÍA TUS CONOCIMIENTOS

Las serpientes son animales de sangre fría. ¿Por qué crees que las serpientes se quedan en las sombras durante las horas más cálidas de un día de verano? <u>Las respuestas variarán.</u> <u>Una posible respuesta es que se quedan en las sombras para no calentarse demasiado.</u>

¿De dónde vienen los seres vivos?

7

generación espontánea: la idea de que los seres vivos nacieron de seres sin vida

LECCIÓN 7 | ¿De dónde vienen los seres vivos?

En una época lejana, las personas creían que los seres vivos podían nacer o provenir de materia sin vida. Por ejemplo, las personas creían que los gusanos y las moscas crecieron de la carne podrida y que los ratones provinieron de la paja. La idea de que los seres vivos nacieron de seres sin vida se llama la **generación espontánea**.

Francesco Redi fue un científico italiano que vivía durante el siglo diecisiete. Redi no pensaba que las cresas, o sea, las moscas recién nacidas, venían de la carne. Pensaba que los seres vivos solamente podían venir de otros seres vivos. Redi hizo un experimento para comprobarlo. La siguiente es una descripción del experimento de Redi:

Redi sabía que muchas veces se encuentran las cresas sobre la carne en estado de putrefacción. También sabía que el olor de la carne podrida les atraía a las moscas. Redi metió carne podrida en cada una de tres jarras. Dejó una jarra sin tapa. Tapó la segunda jarra con una red delgada. Cerró la tercera firmemente con una tapa. Puedes ver cómo Redi organizó el experimento en la página 39.

Después de unos días, Redi observó que las cresas solamente crecieron en la jarra sin tapa. ¿Por qué crecieron las cresas allí? Las cresas nacieron de los huevos que habían puesto las moscas encima de la carne. No había cresas en la carne que las moscas no podían alcanzar. Redi mostró que las cresas no venían de la carne. Ayudó a probar que sólo los seres vivos pueden producir otros seres vivos del mismo tipo, o sea, de la misma índole.

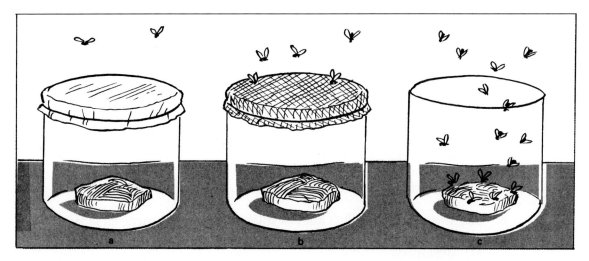

Una jarra estaba tapada herméticamente.

Una jarra estaba tapada sólo con estopilla.

Una jarra estaba destapada.

Figura A

Lo que Redi observó

1. Las moscas casi nunca se acercaron a la jarra bien tapada.

2. Las moscas volaron alrededor de la jarra tapada con estopilla, pero no podían alcanzar la carne.

3. Las moscas entraron en la jarra destapada. Allí pusieron los huevos.

4. Las cresas aparecieron <u>solamente</u> en la jarra destapada.

Lo que Redi razonó y concluyó

Intenta llegar a una conclusión como lo hizo Redi. En el espacio en blanco, escribe la letra de la palabra o las palabras que mejor completen cada oración.

b   **1.** Las moscas <u>sí podían</u> oler la carne que estaba
     a) solamente en el recipiente destapado.
     b) en el recipiente destapado y en el recipiente tapado con estopilla.
     c) en el recipiente hermético.

c   **2.** Las moscas <u>no podían</u> oler la carne que estaba
     a) en el recipiente destapado.
     b) en el recipiente destapado y en el recipiente tapado con estopilla.
     c) en el recipiente hermético.

_____c_____ 3. Las moscas casi nunca se acercaron a la jarra hermética porque las moscas no podían
   a) ver la carne.
   b) tocar la carne.
   c) oler la carne.

_____b_____ 4. Las moscas se acercaron a las jarras con la carne que podían
   a) ver.
   b) oler.
   c) tocar.

_____a_____ 5. Las moscas podían entrar en la jarra que estaba
   a) destapada.
   b) tapada.
   c) tapada con estopilla.

_____a_____ 6. Las moscas pusieron sus huevos solamente sobre la carne en la jarra que estaba
   a) destapada.
   b) tapada.
   c) tapada con estopilla.

_____b_____ 7. Las cresas sólo aparecieron donde
   a) la carne estaba podriéndose.
   b) las moscas habían puesto los huevos.
   c) las moscas no habían puesto los huevos.

_____b_____ 8. Las cresas venían de
   a) la carne.
   b) los huevos.
   c) la jarra.

_____b_____ 9. Cuando las crías nacieron de los huevos, se hicieron
   a) cresas.
   b) moscas.

_____b_____ 10. La vida sólo se produce de materia
   a) muerta.
   b) viva.
   c) sin vida.

¿Qué es una célula?

8

célula: unidad básica de estructura y de función en todos los seres vivos
membrana celular: "piel" delgada que encierra la célula y que le da forma a la célula
citoplasma: sustancia gelatinosa de una célula donde suceden todos los procesos de vida
núcleo: la parte de una célula que controla todas las actividades de la célula

LECCIÓN 8 | ¿Qué es una célula?

Las pirámides de la antigua Egipcia se construyeron de bloques de piedra. Se usan ladrillos para construir los edificios. Todo está formado por partes más pequeñas... ¡INCLUSO TÚ!

Todos los seres vivos están formados por partes pequeñas que se llaman **células**. La célula es la unidad básica de la estructura de todos los seres vivos. Porque todos los seres vivos están formados por células, muchas veces se refieren a las células como "los ladrillos para construir la vida". La célula también es la unidad básica de función para todos los seres vivos. Las células llevan a cabo, o realizan, todos los procesos de vida.

Algunos organismos, tales como las bacterias, están compuestos de una sola célula. Los organismos más grandes tienen muchas más células. Una persona, por ejemplo, está formada por billones de células.

Las células pueden ser de muchos tamaños. La mayoría de las células son microscópicas. Sin embargo, se pueden ver fácilmente algunas células. Por ejemplo, el huevo de gallina es una sola célula. Las células también tienen muchas formas. Por ejemplo, la célula de un músculo tiene una forma diferente a la de una célula de un nervio. Las células de la piel tienen una forma diferente a la de las células de la grasa.

De por sí, la célula está formada por partes más pequeñas. La mayoría de las células tienen tres partes principales: la **membrana celular,** el **núcleo** y el **citoplasma.** Y todas estas partes están formadas por una sustancia viva que se llama el protoplasma. El protoplasma consiste principalmente en agua; también tiene sales disueltas y otros compuestos.

LA MEMBRANA CELULAR La membrana celular es como la piel delgada que cubre la célula. Protege la célula y le da forma. La membrana celular tiene poros o huecos muy pequeños. Los materiales entran y salen por los huecos pequeños de la célula.

EL NÚCLEO El núcleo está dentro de la célula. Controla todo lo que sucede en la célula. El núcleo es como el "jefe" de la célula. Generalmente, el núcleo se ubica cerca del centro de la célula.

EL CITOPLASMA El citoplasma es una sustancia gelatinosa entre el núcleo y la membrana celular. Llena la mayor parte del interior de la célula. El citoplasma le da forma a la célula. La mayoría de las funciones vida suceden en el citoplasma.

En la Figura A se ven ocho partes de una célula. Se encuentran estas partes en la mayoría de las células. El nombre de cada parte de la célula está en la siguiente lista.

- **membrana celular**
- **citoplasma**
- **núcleo**
- **membrana nuclear**

- **mitocondrios**
- **ribosomas**
- **retículo endoplasmático**
- **vacuolas**

A continuación del diagrama, se describe cada parte de la célula. Mientras lees cada descripción, ubica la parte celular en el diagrama.

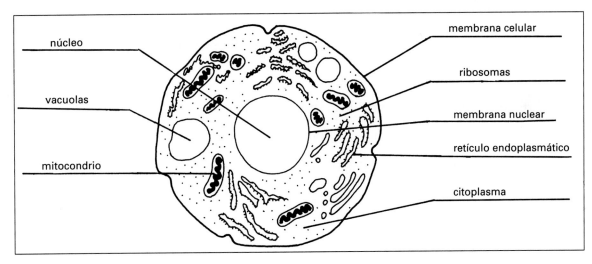

Figura A *Una célula típica de animal.*

MEMBRANA CELULAR

Una piel delgada que encierra la célula. La membrana celular

a) protege la célula,
b) ayuda a darle forma a la célula
c) permite que entren y salgan materiales y
d) ayuda a mantener unida toda la materia celular.

CITOPLASMA

Un fluido gelatinoso que llena la mayor parte del interior de la célula. El citoplasma ayuda a darle forma a la célula. La mayoría de las funciones de vida suceden dentro del citoplasma.

NÚCLEO

Una estructura que se encuentra cerca del centro de la célula. El núcleo es el "jefe" de la célula. Controla todas las actividades de la célula. El núcleo es aún más importante durante la reproducción.

MEMBRANA NUCLEAR

Una piel delgada que encierra el núcleo. La membrana nuclear controla la entrada y la salida al núcleo de los materiales. También le da forma al núcleo.

MITOCONDRIO

Los mitocondrios tienen forma de bastoncillo. Son las "centrales de energía" de la célula. <u>Almacenan</u> y <u>arrojan</u> energía que la célula necesita para las funciones de vida.

RETÍCULO ENDOPLASMÁTICO

Una red de canales, como unas "carreteras". Se usan para transportar materiales dentro de la célula.

RIBOSOMAS

Estructuras diminutas como granos. Fabrican y almacenan la proteína. La mayoría se encuentran en el retículo endoplasmático. Algunos se mueven libremente dentro del citoplasma.

VACUOLAS

Espacios llenos de líquido. Almacenan los alimentos y desechos. Algunas también almacenan agua adicional. Expulsan el agua excesiva fuera de la célula.

Contesta las siguientes preguntas acerca de las células.

1. Todas las partes de la célula están formadas por una sustancia "viva". ¿Cómo se llama esta sustancia viva? <u>el protoplasma</u>

2. ¿Dónde se realizan la mayoría de las funciones de vida en una célula? <u>el citoplasma</u>

3. ¿Trabaja sola cada parte de la célula? Explica tu respuesta. <u>No. Cada parte de la</u> <u>célula tiene una función especial, pero todas las partes trabajan juntas.</u>

4. ¿Cuáles son dos funciones de la membrana celular? <u>Acepte una: protege la célula;</u> <u>le da forma a la célula; permite que entren los materiales en la célula.</u>

5. ¿En qué se parecen las vacuolas a compartimientos para almacenar? <u>Almacenan el</u> <u>agua, los alimentos y los desechos.</u>

IDENTIFICA LAS PARTES CON ETIQUETA

En la Figura B se ve una célula animal. En los espacios en blanco, escribe los nombres de las partes de la célula.

1. <u>vacuola</u>

2. <u>núcleo</u>

3. <u>mitocondrio</u>

4. <u>citoplasma</u>

5. <u>retículo endoplasmático</u>

6. <u>membrana celular</u>

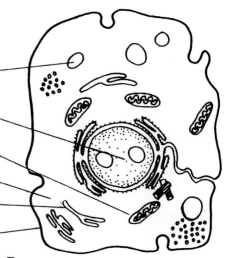

Figura B

Las células de las plantas y las de los animales no son exactamente iguales. Las células de las plantas tienen ciertas partes que no tienen las de los animales. Estas partes son una pared de la célula y los cloroplastos.

LA PARED DE LA CÉLULA La pared de la célula encierra la membrana celular de una célula vegetal (de plantas). La pared de la célula consiste en un material sin vida que se llama la celulosa. La pared de la célula es más tiesa que la membrana celular. Le da a la planta su rigidez. También le da su forma.

LOS CLOROPLASTOS Se encuentran los cloroplastos en el citoplasma de una célula vegetal. Los cloroplastos contienen una sustancia verde que se llama la clorofila. Las plantas verdes necesitan clorofila para fabricar su alimentación. El proceso de las plantas para fabricar la alimentación se llama la fotosíntesis. La mayor cantidad de la clorofila se encuentra en las células de las hojas de plantas verdes.

Las plantas pueden fabricar sus alimentos, pero los animales no. Las células de animales no contienen clorofila.

También son diferentes el número y el tamaño de las vacuolas en las células de plantas y en las de animales. Las células vegetales sólo tienen una o dos vacuolas. Generalmente, estas vacuolas son muy grandes. Las células de animales contienen muchas vacuolas diminutas.

En la Figura C, se ve una célula vegetal. Las partes de la célula vegetal del diagrama incluyen

- membrana celular
- citoplasma
- núcleo
- pared de la célula
- cloroplasto
- vacuola

Busca cada parte de la célula vegetal de la Figura C.

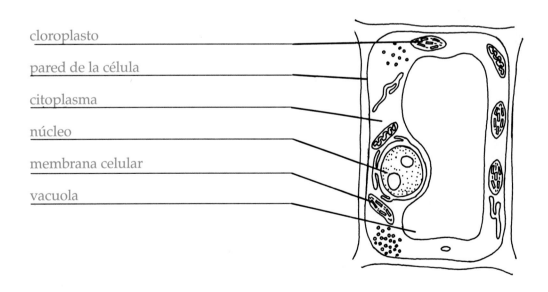

Figura C

Contesta las siguientes preguntas sobre las células de plantas y las de animales.

1. ¿Qué dos partes tienen las células de plantas que no tienen las de animales? __la__ __pared de la célula__ y __los cloroplastos__

2. ¿En qué consiste la pared de la célula? __celulosa__
   protoplasma, celulosa

3. ¿Es una sustancia viva la celulosa? __no__
   sí, no

4. ¿En qué consiste la membrana celular? __protoplasma__
   protoplasma, celulosa

5. ¿Es una sustancia viva el protoplasma? __sí__
   sí, no

6. ¿Dónde se encuentran los cloroplastos? __en el citoplasma__
   en el núcleo, en el citoplasma

7. ¿Qué sustancia se encuentra dentro de los cloroplastos? __clorofila__
   protoplasma, clorofila

8. ¿Para qué se usa la sustancia dentro de los cloroplastos? __para fabricar alimentos__
   para fabricar alimentos, para la excreción

COMPLETA LA TABLA

Contesta las preguntas al escribir "SÍ" o "NO" en las casillas.

	Célula animal	Célula vegetal
1. ¿Tiene un núcleo?	SÍ	SÍ
2. ¿Tiene ribosomas?	SÍ	SÍ
3. ¿Tiene mitocondrios?	SÍ	SÍ
4. ¿Tiene una membrana celular?	SÍ	SÍ
5. ¿Tiene una pared de la célula?	NO	SÍ
6. ¿Tiene citoplasma?	SÍ	SÍ
7. ¿Tiene cloroplastos?	NO	SÍ
8. ¿Tiene un retículo endoplasmático?	SÍ	SÍ
9. ¿Tiene clorofila?	NO	SÍ
10. ¿Tiene muchas vacuolas diminutas?	SÍ	NO

Para que una célula pueda realizar su función, las sustancias tienen que poder entrar en la célula y salir de ella. Esto sucede a través de la membrana celular. La <u>membrana celular</u> tiene huecos muy pequeños. Algunas sustancias pasan por estos huecos por un proceso que se llama difusión. Sin embargo, la membrana celular sólo permite que ciertas sustancias y ciertas cantidades de sustancias entren en la célula y salgan de ella. Por ejemplo, los nutrimentos disueltos y el oxígeno sólo pueden <u>entrar</u> en la célula. Los desechos disueltos, tal como el dióxido de carbono, sólo pueden <u>salir</u> de la célula.

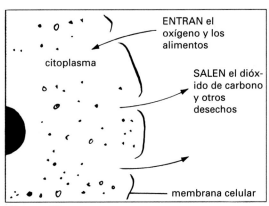

Figura D

El movimiento de agua por una membrana se llama la osmosis. La osmosis es una clase especial de difusión. ¿Qué pasa si no se controla la cantidad de agua que entra en la célula y que sale de la célula? Pues, depende... La célula puede

a) hincharse o

b) encogerse.

Piensa en cada una de las siguientes posibilidades. Escribe tus respuestas en los espacios en blanco.

¿Qué podría pasar si...

1. entrara demasiada agua en una célula? <u>La célula se hincharía.</u>

2. saliera demasiada agua de una célula? <u>La célula se encogería.</u>

3. entrara muy poca agua en una célula? <u>La célula se encogería.</u>

4. saliera muy poca agua de una célula? <u>La célula se hincharía.</u>

5. el agua siguiera entrando en una célula y nada de agua saliera de la célula?

   <u>La célula se hincharía.</u>

Contesta las siguientes preguntas.

6. ¿Qué materiales necesarios entran en la célula por la membrana celular? <u>el oxígeno y los alimentos</u>

7. ¿Qué desechos salen de la célula por la membrana celular? <u>el dióxido de carbono y otros desechos</u>

COMPLETA LA ORACIÓN

Completa cada oración con una palabra o una frase de la lista de abajo. Escribe tus respuestas en los espacios en blanco.

proteínas	retículo endoplasmático	pared de la célula
tamaño	procesos de vida	membrana celular
clorofila	núcleo	energía
células	cloroplastos	forma

1. Los "ladrillos para construir" a todos los seres vivos son las ___células___ .

2. Una célula vegetal tiene dos partes que no tiene una célula animal. Éstas son los ___cloroplastos___ y la ___pared de la célula___ .

3. El ___núcleo___ es la central para controlar las actividades de la célula.

4. Los cloroplastos contienen una sustancia verde que se llama la ___clorofila___ .

5. Los ribosomas fabrican y almacenan las ___proteínas___ .

6. Una red de canales llamada el ___retículo endoplasmático___ se usa para mover los materiales dentro de una célula.

7. Una célula realiza todos los ___procesos de vida___ .

8. La entrada en la célula y la salida de ella de sustancias sucede a través de la ___membrana celular___ .

9. Las células varían en su ___forma___ y su ___tamaño___ .

10. Los mitocondrios almacenan y arrojan la ___energía___ que una célula necesita para realizar los procesos de vida.

AMPLÍA TUS CONOCIMIENTOS

En una hoja suelta de papel, haz un dibujo de una célula animal. Trata de hacerlo de memoria. Asegúrate de incluir y de marcar cada una de las siguientes partes.

- membrana celular
- citoplasma
- núcleo
- membrana nuclear
- mitocondrio
- ribosomas
- retículo endoplasmático

Revise los dibujos de los estudiantes.

¿Cómo nos puede ayudar un microscopio a estudiar los seres vivos?

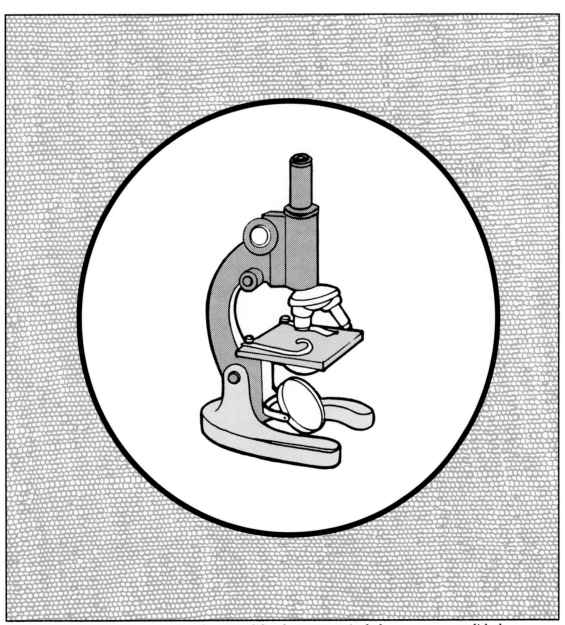

microscopio: aparato que agranda o amplifica las cosas más de lo que son en realidad

LECCIÓN 9 | ¿Cómo nos puede ayudar un microscopio a estudiar los seres vivos?

Todos los seres vivos están formados por células. Algunos organismos, tales como las bacterias, se forman por una sola célula. Son demasiado pequeños para ver solamente a simple vista. Estos organismos son los microorganismos.

¿Cómo podemos observar y estudiar estos organismos tan diminutos o las células individuales de un organismo multicelular? Podemos usar un **microscopio**. Un microscopio es un aparato que agranda o amplifica los objetos más de lo que son. ¿Has usado alguna vez una lupa? Una lupa es un microscopio simple. Un microscopio simple sólo tiene una lente.

Es fácil usar una lupa. Es pequeña y no pesa mucho. Pero una lupa no aumenta los objetos mucho. No podemos ver un organismo de una sola célula con una lupa.

Un microscopio compuesto es mucho más poderoso que un microscopio simple. Un microscopio compuesto tiene dos juegos de lentes. La mayoría de los microscopios que se usan en las escuelas son microscopios compuestos.

La mayoría de los microscopios compuestos pueden hacer que los objetos se vean de entre 100 a 400 veces más grandes de lo que son. Algunos microscopios pueden aumentar los objetos tanto como 1000 veces. Cuando hablamos de los microscopios, generalmente nos referimos a los microscopios compuestos.

Otro tipo de microscopio es el microscopio electrónico. Los microscopios electrónicos pueden aumentar los objetos hasta 300,000 veces. Estos microscopios se encuentran en laboratorios científicos.

Hay muchos usos para los microscopios, especialmente en la biología. Los médicos frecuentemente usan los microscopios. ¿Has visto alguna vez un microscopio en el consultorio de tu médico?

En la Figura A se ve un microscopio compuesto. Las partes del microscopio están identificadas con etiquetas. Lee la descripción de cada parte del microscopio al pie de la página. Luego, busca la parte en la Figura A.

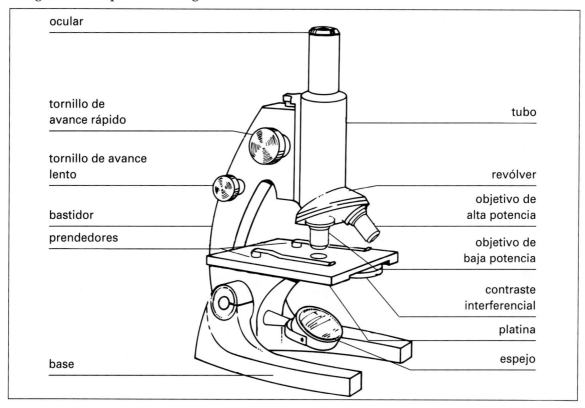

ocular

tornillo de avance rápido

tornillo de avance lento

bastidor

prendedores

base

tubo

revólver

objetivo de alta potencia

objetivo de baja potencia

contraste interferencial

platina

espejo

Figura A

El ocular Ubicado en la parte de arriba del microscopio. Contiene la lente más cercana al ojo.

El objetivo de alta potencia La más larga de las dos lentes cercanas al portaobjetos.

El objetivo de baja potencia La más corta de las lentes cercanas al portaobjetos.

El tubo Mantiene la distancia necesaria entre el ocular y el objetivo.

El tornillo de avance rápido Hace que el tubo se mueva de arriba a abajo.

El tornillo de avance lento Hace que el tubo se mueva de arriba a abajo, pero sólo un poco.

La base Sostiene el microscopio.

El bastidor Apoya el tubo.

El revólver Contiene los objetivos (las dos lentes).

El espejo Refleja la luz hacia el interior del tubo.

El contraste interferencial Disco circular que regula la luz en la platina.

La platina Plataforma en que se coloca el portaobjetos; permite que pase la luz.

Los prendedores Mantienen fijo el portaobjetos sobre la platina.

1. ¿Qué hace el contraste interferencial?

   regula la luz en la la platina

2. ¿Qué parte del microscopio compuesto apoya el tubo? el bastidor

3. ¿Cuál de los objetivos es el más largo?

   el objetivo de alta potencia

Un microscopio hace que las cosas se vean más grandes. Lo hace porque la luz que viene del objeto pasa por las lentes. Una lente es un vidrio que se ha formado cuidadosamente para reflejar o desviar la luz. La luz que pasa de un objeto por la lente del microscopio se refleja para agrandar al objeto más de lo que es.

En la Figura B se ven las tres lentes de un microscopio compuesto. La lente de arriba es el ocular. Es la lente más cercana al ojo. Las otras dos lentes son los objetivos. Los objetivos son las lentes más cercanas al objeto que se quiere observar.

El objeto que se ha de observar se coloca sobre un portaobjetos. Este portaobjetos se coloca sobre la platina debajo de los objetivos.

Distintas lentes tienen aumentos o potencias diferentes. La potencia de aumento se indica con un número precedido por una ×. Una lente o un objetivo que aumenta algo 10 veces está marcado con ×10.

En este diagrama, el ocular está marcado con ×10 y el objetivo con ×10. Así se obtiene un aumento total de ×100. Para hallar el aumento total de un microscopio, multiplica los dos aumentos.

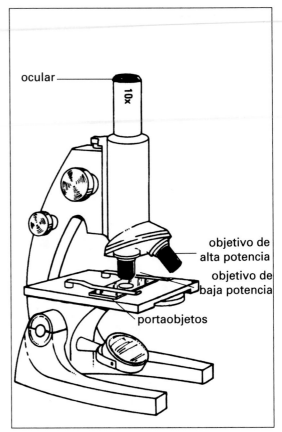

Figura B

Completa la tabla de abajo al calcular el aumento total de cada juego de lentes. Por ejemplo, el primer juego de lentes tiene un aumento total de ×100 (10 × 10 = 100).

Ocular	Objetivo	Aumento
×10	×10	×100
×10	×40	×400
×10	×44	×440
×5	×10	×50
×5	×40	×200
×20	×10	×200
×20	×40	×800

Observa cada dibujo. Luego, contesta las preguntas a la derecha.

Figura C

Ésta es una foto de una mosca. Ha sido aumentada aproximadamente dos veces.

1. ¿Puedes ver muchos detalles de la mosca? <u>no</u>
   sí, no

Aquí se ve una parte de la mosca aumentada como 100 veces con el microscopio.

2. Ahora ves <u>menos</u> de la
   más, menos

   mosca, pero sí ves <u>más</u> detalles.
   más, menos

3. ¿Qué parte de la mosca crees que se muestra en esta figura? <u>Acepte todas</u>

   <u>las respuestas lógicas. Respuestas</u>

   <u>posibles son: antena, pata.</u>

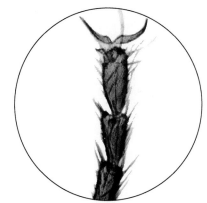

Figura D

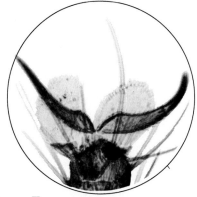

Figura E

Ésta es la misma parte de la mosca. Ahora está aumentada 400 veces.

4. En comparación con el aumento de 100 (×100), ahora puedes ver

   <u>menos</u> de la mosca. Sin embargo,
   más, menos

   ves <u>más</u> detalles.
   más, menos

CONCLUSIONES

1. Por más potente que sea el aumento del microscopio, ves <u>menos</u> del objeto.
   más, menos

2. Por más potente que sea el aumento del microscopio, ves <u>más</u> detalles.
   más, menos

Un objeto que se ve con un microscopio está colocado sobre una plaquita de vidrio que se llama un <u>portaobjetos</u>. Se coloca el portaobjetos sobre la platina del microscopio y debajo de los objetivos.

Hay dos clases de portaobjetos: los <u>provisionales</u> y los <u>permanentes</u>.

• Un portaobjetos provisional no se puede guardar. Se usa una vez y luego se lo limpia. Los portaobjetos provisionales son útiles para estudiar los organismos diminutos mientras estén vivos.

• Un portaobjetos permanente se puede guardar y usar una y otra vez. Sólo se pueden estudiar las cosas muertas o los seres sin vida con un portaobjetos permanente.

La mayoría de los portaobjetos son de vidrio y miden aproximadamente 7.5 cm × 2.5 cm (3″ × 1″). Muchas veces se usa un <u>cubreobjeto</u> sobre el portaobjetos. Un cubreobjeto es una lámina delgada de vidrio o de plástico que se coloca encima del portaobjetos de vidrio.

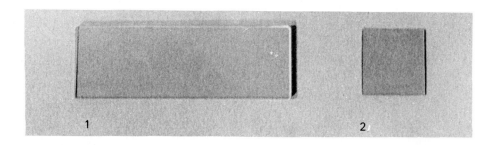

Figura F *Un portaobjetos (1) y un cubreobjeto (2).*

1. ¿Qué clase de portaobjetos usarías para estudiar los organismos que viven en una charca mientras estén vivos? _____un portaobjetos provisional_____

2. ¿Por qué?___Un portaobjetos provisional no mata los organismos, así que se los___ puede estudiar mientras viven.

3. ¿Dónde se coloca el portaobjetos en el microscopio? ___sobre la platina___

4. ¿Cuáles son las ventajas de los portaobjetos provisionales?___Se puede usarlos para___ estudiar los seres vivos mientras estén vivos.

5. ¿Cuáles son las ventajas de los portaobjetos permanentes? ___Uno los puede guardar___ y los puede usar una y otra vez.

Mira el agua de una charca con el microscopio de acuerdo con las siguientes instrucciones.

1. Limpia bien el portaobjetos.

2. Usa un cuentagotas limpio para echar una gota del agua de la charca en el centro del portaobjetos.

Figura G   *"Agua de la charca"*

3. Usa pinzas para colocar un cubreobjeto con mucho cuidado sobre el agua de la charca.

4. Mira tu portaobjetos con el microscopio de acuerdo con los siguientes pasos.

   a) Haz girar el revólver hasta que el objetivo de baja potencia esté en línea directa con el tubo. Vas a oír un golpecito ligero cuando el objetivo esté directamente sobre la abertura de la platina.

   b) Haz girar el tornillo de avance rápido para averiguar cuál de las direcciones hace subir el objetivo y cuál de las direcciones lo hace bajar.

Figura H

   c) Usa el tornillo de avance rápido para alzar el objetivo de baja potencia hasta que esté a 2 cm sobre la platina.

   d) Mira por el ocular. Hay que tener los dos ojos abiertos.

   e) Haz los ajustes al espejo.

   f) Mueve el contraste interferencial para ajustar la cantidad de luz.

g) Usa el tornillo de avance lento para obtener un enfoque claro.

h) Para ver el objeto con alta potencia, haz girar el revólver hasta que el objetivo de alta potencia esté en línea directa con un golpecito ligero.

i) Mira por el ocular y usa el tornillo de avance lento para lograr el enfoque de alta potencia.

5. En el marco, haz un dibujo de lo que ves con el microscopio.

Revise los dibujos de los estudiantes.

Algunos portaobjetos provisionales no necesitan un cubreobjeto.

Para examinar la sal o un pelo con el microscopio, sigue estas instrucciones.

1. Moja la superficie del portaobjetos sólo un poquito con el dedo.

Figura I

2. *La sal:* Echa unos granos de sal en el vidrio.

    El pelo: Simplemente coloca un pelo encima del portaobjetos.

3. Ahora, mira los dos portaobjetos con el microscopio.

4. En los círculos de abajo, haz dibujos de lo que ves con el microscopio.

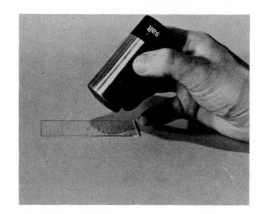

Figura J *"Sal"*

Revise los dibujos de los estudiantes.

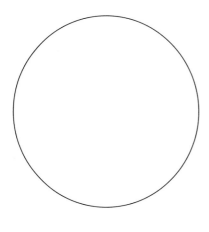

Sal

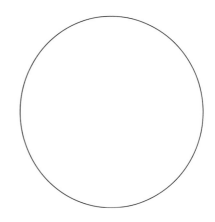

Pelo

Algunas cosas son transparentes. Puedes ver a través de ellas. El vidrio es transparente, igual que el agua y el aire. Un objeto transparente deja pasar la luz. Algunas células y estructuras de células son transparentes. Por eso es muy difícil mirarlas con un microscopio. ¿Cómo pueden mirar estas células los científicos? Pues, usan un colorante.

Un colorante es un tinte. Agrega color al objeto en el portaobjetos. Así se hace más fácil mirarlo.

Hay muchos tipos diferentes de colorantes. No todas las células y estructuras de células absorben, o retienen, el mismo tipo de colorante. Además, las distintas partes de una célula pueden retener diferentes cantidades del colorante. Como resultado, algunas estructuras se ponen más oscuras (o más claras) que las otras. El tipo de colorante que se usa depende de lo que se examina.

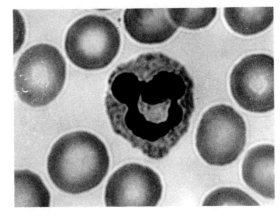

Fíjate en la Figura K. Muestra los glóbulos (las células) de sangre tal como se ven con un microscopio.

Los científicos usan un colorante para hacer que se vean mejor los glóbulos blancos. No todas las partes del glóbulo blanco absorben la misma cantidad del colorante.

Figura K

1. ¿Qué parte del glóbulo de sangre absorbió la mayor cantidad del colorante? __el núcleo__

2. ¿Cómo lo sabes? __porque está más oscura__

3. ¿Por qué se usan los colorantes? __para hacer que se vea algo mejor__

4. Nombra un objeto transparente. __Las respuestas variarán. Acepte todas las respuestas lógicas.__

5. ¿Qué clase de célula se ve en la Figura K? __glóbulos de sangre__

Mira una hoja de una cebolla con el microscopio de acuerdo con las siguientes instrucciones.

1. Separa una hoja de cebolla de una cebolla recortada en cuartos. Fíjate en la tela muy delgada que la cubre.

2. Usa las pinzas para quitar la tela delgada.

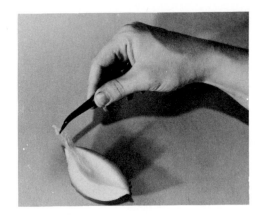

Figura L

3. Coloca un pedazo de la tela encima del portaobjetos.

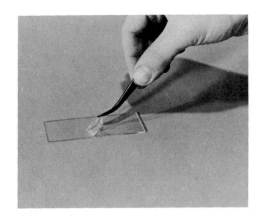

Figura M

4. Echa una gota de yodo en el portaobjetos. El yodo es un tipo de colorante. El colorante le da color a la tela de la cebolla. Hace resaltar con más claridad las partes de la tela de la cebolla.

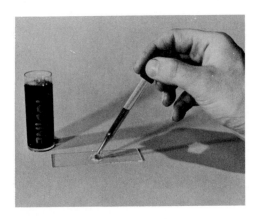

Figura N *"Yodo"*

5. Coloca un cubreobjeto encima del por- taobjetos.

6. Mira el portaobjetos con el microscopio.

Figura O

7. Haz un dibujo de lo que ves.

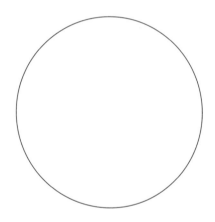

8. Prepara otro portaobjetos de la tela de cebolla de acuerdo con los pasos del 1 al 3.

9. En vez de usar yodo, echa una gota de agua en el portaobjetos.

10. Coloca un cubreobjeto encima del portaobjetos.

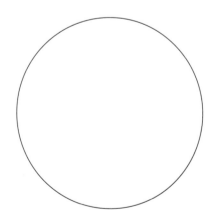

11. Mira el portaobjetos con el microscopio.

12. Haz un dibujo de lo que ves.

1.   Obten del maestro o de la maestra un portaobjetos permanente de la sangre humana.

2.   Coloca el portaobjetos preparado de la sangre humana sobre la platina de un microscopio compuesto.

3.   Usa el objetivo de baja potencia para enfocar el portaobjetos. Mira la sangre con la baja potencia de tu microscopio. Luego, cambia a la alta potencia.

4.   Se ha tratado con colorante la sangre en el portaobjetos preparado. Los glóbulos rojos se verán del color rosado. Los núcleos de los glóbulos blancos se verán del color morado azulado.

5.   Busca un glóbulo rojo. Haz un dibujo de esta célula en el espacio marcado "Glóbulo rojo".

6.   Todavía con la alta potencia del microscopio, busca un glóbulo blanco. Haz un dibujo de éste en el espacio marcado "Glóbulo blanco".

Revise los dibujos de los estudiantes.

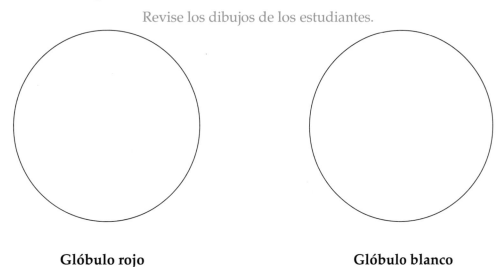

Glóbulo rojo   **Glóbulo blanco**

TERMINA LAS ORACIONES

Escoge la palabra o el término apropiado para cada oración. Escribe tu selección en el espacio en blanco.

1.   Un glóbulo rojo __no__ tiene núcleo.
     sí, no

2.   Un glóbulo blanco __sí__ tiene núcleo.
     sí, no

3.   __Se puede__ volver a usar un portaobjetos permanente.
     Se puede, No se puede

4.   __No se puede__ volver a usar un portaobjetos provisional.
     Se puede, No se puede

5.   __Había__ colorante en el portaobjetos anterior.
     Había, No había

EL CUIDADO DEL MICROSCOPIO

Un microscopio es un instrumento delicado. Hay que tratarlo con cuidado. Siempre debes sostener el microscopio con las dos manos: una para agarrar el bastidor y otra para apoyar la base. Se limpian las lentes del microscopio solamente con papel especial para las lentes. Los pañuelos de papel las pueden rayar.

Lee acerca de cada dibujo. Luego, contesta las preguntas que le correspondan.

El estudiante a la izquierda no sostiene el microscopio en la manera correcta.

1. ¿Puedes describir cómo se debe sostener correctamente un microscopio? __Se__ debe sostenerlo con las dos manos. Una mano agarra el bastidor; la otra mano apoya la base.

Figura P

El chico se pregunta cuál de los pañuelos debe usar para limpiar las lentes del microscopio.

2. ¿Cuál de los pañuelos usarías tú? __el__ pañuelo para lentes

3. ¿Por qué? __No raya el vidrio.__

Figura Q

La chica está moviendo las lentes hacia abajo para mejor enfocar el portaobjetos.

4. ¿Qué pasó con el portaobjetos? __Se ha__ roto el portaobjetos.

5. ¿Es ésta la manera correcta para enfocar?
__no__

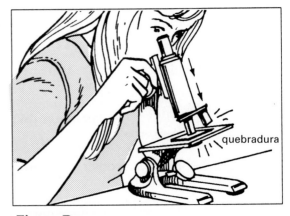

Figura R

6. ¿Qué está pasando con el microscopio del chico? _Se va a caer._

7. ¿Qué debes hacer para evitar que suceda esto? _No se debe inclinar el microscopio demasiado hacia atrás y hay que colocarlo lejos del borde de la mesa._

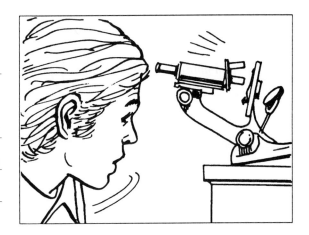

Figura S

CIERTO O FALSO

En el espacio en blanco, escribe "Cierto" si la oración es cierta. Escribe "Falso" si la oración es falsa.

Cierto **1.** Un microscopio puede tener una lente.

Falso **2.** Un objeto transparente no permite pasar la luz.

Cierto **3.** Un microscopio compuesto aumenta más los objetos que un microscopio simple.

Falso **4.** La luz entra primero por el ocular.

Cierto **5.** La platina de un microscopio debe tener una abertura.

Falso **6.** Cuando sostienes un microscopio, lo debes agarrar por el tubo.

Cierto **7.** No se puede guardar un portaobjetos provisional.

Cierto **8.** Sólo debes usar papel para lentes para limpiar las lentes del microscopio.

HACER CORRESPONDENCIAS

Empareja cada término de la Columna A con su descripción en la Columna B. Escribe la letra correcta en el espacio en blanco.

Columna A	Columna B
_b_ **1.** un microscopio simple	**a)** apoya todo el microscopio
_a_ **2.** la base	**b)** sólo tiene una lente
_d_ **3.** un microscopio compuesto	**c)** permite que pase la luz
_e_ **4.** el ocular	**d)** tiene más de una lente
_c_ **5.** transparente	**e)** la lente más cercana al ojo

Escribe el nombre de la parte del microscopio encima de la línea que le corresponda. Hay una lista de las partes a continuación.

bastidor	contraste interferencial	objetivo de baja potencia
base	ocular	espejo
prendedores	tornillo de avance lento	revólver
tornillo de avance rápido	objetivo de alta potencia	platina
tubo		

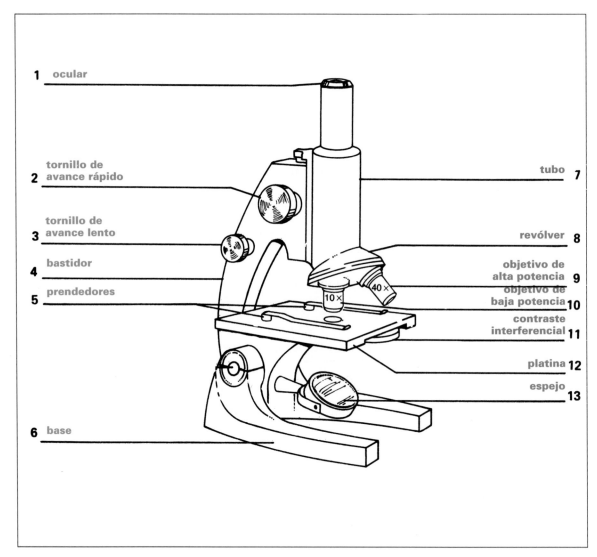

1 ocular

2 tornillo de avance rápido

3 tornillo de avance lento

4 bastidor

5 prendedores

6 base

tubo **7**

revólver **8**

objetivo de alta potencia **9**

objetivo de baja potencia **10**

contraste interferencial **11**

platina **12**

espejo **13**

Figura T

¿Qué es la reproducción?

reproducción asexual: clase de reproducción que requiere un solo padre, en que el organismo padre (la célula madre) se divide en dos

reproducción: proceso de vida en que los organismos engendran nuevos organismos

reproducción sexual: clase de reproducción que requiere dos padres, en que las células de los dos padres se unen para formar un nuevo organismo

LECCIÓN | ¿Qué es la reproducción?
10

Por todas partes ves los seres vivos. Algunos son grandes, tales como los elefantes, las ballenas y los árboles gigantescos. Algunos, tales como las hormigas, las pulgas y las briznas de hierba, son más pequeños. Las bacterias son aún más pequeñas, MUCHO más pequeñas.

Sea planta o animal, todos los seres vivos se reproducen para crear otros de su especie. Recuerda que el proceso de vida por el que los organismos engendran nuevos organismos se llama la **reproducción**. El embarazo es la reproducción. También lo es la producción de una nueva brizna de hierba de una semilla pequeña. Los nuevos organismos que los seres vivos engendran se llaman descendencia o progenie. Tú eres descendiente de tus padres. Una camada de gatitos es la progenie de un gato.

La mayoría de los organismos crean vida nueva por medio del proceso de la **reproducción sexual**. Para la reproducción sexual se necesitan dos padres: uno masculino y otro femenino.

En la reproducción sexual, las células de dos padres se unen para formar un nuevo organismo. Organismos masculinos producen células sexuales masculinas. Organismos femeninos producen células sexuales femeninas. En la reproducción sexual, un nuevo organismo crece de las células unidas. El nuevo organismo no se parece exactamente a ninguno de sus padres. En cambio, la progenie tiene unas características de cada uno.

Muchas plantas también se reproducen por la reproducción sexual. Quizá te sorprenda saber que hay plantas masculinas y plantas femeninas. Durante la reproducción, las células sexuales masculinas se unen con las células sexuales femeninas para formar semillas. Una nueva planta puede nacer de cada semilla.

Algunos organismos se reproducen sin las células sexuales. Esta clase de reproducción se llama la **reproducción asexual**. Para la reproducción asexual, sólo se necesita una madre. En la reproducción asexual, cada descendiente es una copia idéntica a la madre.

Las bacterias se reproducen por medio de la reproducción asexual. Una bacteria crece a su tamaño completo. Luego, se divide en dos. Así, se crean dos bacterias nuevas.

Algunas plantas también se reproducen asexualmente. Por ejemplo, las plantas de fresas tienen estolones. Los estolones echan raíces en la tierra. Entonces, una nueva planta nace del estolón.

Lee acerca de cada diagrama. Luego, contesta las preguntas al lado del diagrama.

En la Figura A se ve una bacteria reproduciéndose.

1. ¿Cómo se reproducen las bacterias?

al dividirse en dos

_____

2. ¿Qué les va a pasar a las nuevas

bacterias? Van a crecer hasta desa
_____
rrollarse por completo.

_____

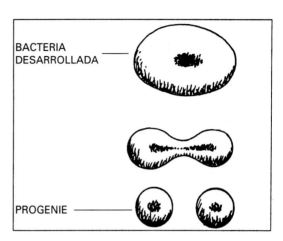

Figura A

En la mayoría de los animales, se necesitan las células sexuales masculinas y femeninas para la reproducción. Solamente los animales desarrollados producen las células sexuales. Los animales desarrollados masculinos producen espermatozoides. Los animales desarrollados femeninos producen óvulos. La reproducción sucede cuando una célula del espermatozoide se une con una célula del óvulo.

3. ¿Puede suceder la reproducción sexual

si el macho (hombre) o la hembra

(mujer) no se desarrolla? No
_____

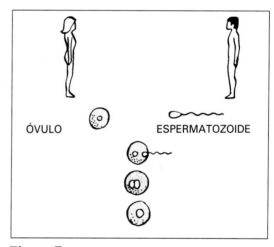

Figura B

Se muestra en la Figura C una planta de fresas que echa estolones.

4. ¿Cuántos estolones hay?

2

_____

5. ¿Cuántas plantas hay?

3

_____

6. ¿Cuál de las plantas es la más vieja?

la planta más alta

_____

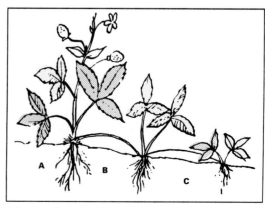

Figura C

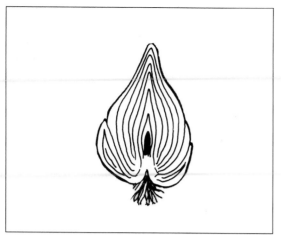

Figura D

En la Figura D se ve el interior del bulbo de una azucena. Si se entierra el bulbo completamente por debajo de la tierra, produce una nueva planta. Se pueden reconocer algunos bulbos por sus capas.

7. Nombra un bulbo corriente que probablemente puedes encontrar en tu cocina. _____cebolla_____

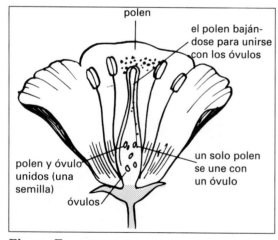

Figura E

Las células reproductoras masculinas se llaman <u>polen</u>. Las plantas se reproducen sexualmente cuando el polen se junta con las células reproductoras femeninas, o sea, los óvulos. Algunas flores tienen sólo las células masculinas o sólo las femeninas. La unión de la célula del polen y la célula del óvulo produce semillas.

8. ¿Qué va a pasar si se siembran las semillas en la tierra? _____Pueden llegar a ser una nueva planta._____

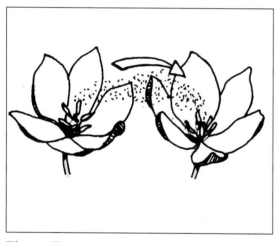

polen

el polen bajándose para unirse con los óvulos

un solo polen se une con un óvulo

polen y óvulo unidos (una semilla)

óvulos

Figura F

Algunas plantas producen células de polen y células de óvulo.

9. ¿Por qué sería más fácil este tipo de reproducción que tener solamente células masculinas o células femeninas? _____La planta no necesita otra planta para reproducirse._____

COMPLETA LA ORACIÓN

Completa cada oración con una palabra o una frase de la lista de abajo. Escribe tus respuestas en los espacios en blanco.

dividirse en dos   padre   reproducción

organismo   propia especie

1. En la reproducción sexual, las células sexuales masculinas y femeninas se unen para formar un nuevo _____organismo_____ .

2. Todos los seres vivos engendran seres de su _____propia especie_____ .

3. El proceso de producir una nueva vida se llama la _____reproducción_____ .

4. Para la reproducción asexual, se necesita un solo _____padre_____ .

5. Las bacterias se reproducen al _____dividirse en dos_____ .

CIERTO O FALSO

En los espacios en blanco, escribe "Cierto" si la oración es cierta. Escribe "Falso" si la oración es falsa.

Cierto   1. Sin la reproducción, la vida no podría continuar.

Cierto   2. Sólo los organismos desarrollados pueden reproducirse.

Falso   3. De un chango puede nacer un gato.

Cierto   4. Para la reproducción sexual, se necesitan dos padres.

Cierto   5. En la reproducción asexual, cada progenie es una copia exacta de la madre.

PALABRAS REVUELTAS

A continuación hay varias palabras revueltas que has usado en esta lección. Pon las letras en orden y escribe tus respuestas en los espacios en blanco.

1. LLISAME _____SEMILLA_____

2. ONIEPREG _____PROGENIE_____

3. EPDAR _____PADRE_____

4. BREATACIS _____BACTERIAS_____

5. CORUDNICÓPRE _____REPRODUCCIÓN_____

CIENCIA *EXTRA*

La hidropónica

¿Puedes imaginarte cultivando plantas en el Ártico cubierto de nieve? O, ¿qué tal en un barco en el océano? Pues, puede que no sea imposible si se emplea la hidropónica.

¿Qué es la hidropónica? La hidropónica es la ciencia de cultivar plantas sin tierra. Por lo general, las plantas necesitan la tierra para sostenerse y para los nutrimentos. Sin embargo, las plantas pueden vivir sin la tierra si hay otras fuentes que las sostengan y alimienten. Además, las plantas tienen que recibir cantidades controladas de dióxido de carbono, oxígeno, agua, calor y luz para que lleven a cabo los procesos de vida.

Hay dos métodos para cultivar las plantas sin tierra. Para un método se usa el agua. Las plantas están suspendidas y sus raíces están sumergidas en el agua. Los mismos nutrimentos que se encuentran en el suelo fértil están disueltos en el agua. Las plantas sacan los nutrimentos del agua. Una desventaja de este método es que hay que sostener las plantas desde arriba.

Un segundo método de la hidropónica utiliza otros materiales que el agua, tales como la arena o la grava. Las raíces de la planta la fijan en la arena o la grava. Una solución nutritiva se esparce sobre las plantas desde arriba o está impulsada por el cuadro de las plantas. Se prefiere impulsar los nutrimentos por el cuadro porque las raíces de las plantas crecen hacia abajo y los nutrimentos llegan a la planta más rápidamente.

Aunque se han cultivado las plantas sin tierra desde los tiempos antiguos, la hidropónica se ha empleado comercialmente por menos de 50 años. Algunas de las ventajas de la hidropónica incluyen la falta de competencia por parte de las malezas, libertad de las enfermedades transmitidas por el suelo y costos de labor disminuidos. Una desventaja es el alto costo del equipo que se necesita para la hidropónica.

¿Qué es la mitosis?

11

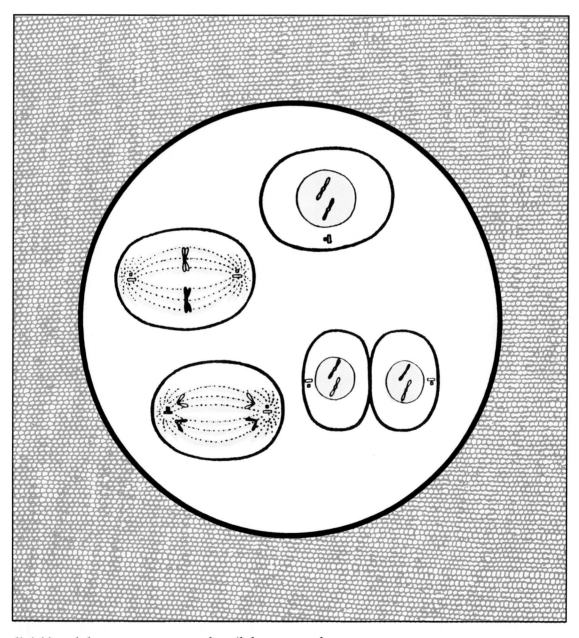

división celular: proceso en que las células se reproducen
mitosis: tipo de división de las células en que el núcleo se divide

Las células pueden reproducirse. Los seres vivos crecen porque sus células pueden reproducirse y hacer nuevas células. Para producir estas nuevas células, las células se dividen en dos. El proceso en que las células se reproducen se llama la **división celular**, o sea la división de las células.

Cada uno de las células de tu cuerpo (las células corporales) tiene dos conjuntos de 23 cromosomas. Las células corporales son todas las células, menos las células sexuales. Los cromosomas son partes de células que determinan las características (los caracteres) que va a tener un ser vivo. Cada vez que se dividen las células corporales, cada célula nueva recibe los dos conjuntos de cromosomas.

El núcleo controla la división celular. Durante la división celular, cada cromosoma produce una copia exacta de sí mismo. Después de que los cromosomas producen las copias duplicadas, el núcleo se divide. La división del núcleo se llama **mitosis**. Puedes ver la mitosis y la división de las células de una típica célula animal en la siguiente página.

Las dos células nuevas que resultan de la división celular se llaman células hijas. Las dos células hijas son exactamente iguales: los cromosomas exactamente iguales, los caracteres exactamente iguales.

La división celular es una forma de la reproducción asexual. Solamente una célula madre se divide para producir las células hijas.

Vamos a examinar la mitosis de una típica célula animal. Esta célula tiene cuatro cromosomas. Sigue el proceso, paso a paso.

Figura A

- La célula se prepara a dividirse.

- El material de los cromosomas se duplica. No se parece a los cromosomas—todavía no.

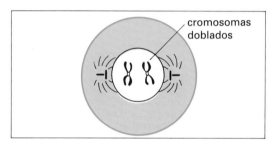

Figura B

- Los pares de cromosomas se enrollan, poniéndose cortos y gruesos. Se ven claramente. Cuéntalos.

- La membrana nuclear se desaparece.

- Unas fibras axiales se forman en el citoplasma. Las fibras axiales se sujetan a los cromosomas y a los dos extremos de la célula.

- Los dos conjuntos de cromosomas se alinean en el centro de la célula.

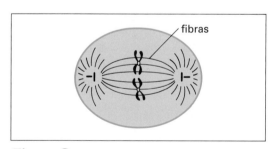

Figura C

- Los cromosomas de cada pareja se separan y se mueven a los extremos opuestos de la célula.

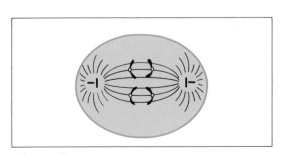

Figura D

- La célula empieza a apretarse (pellizcarse) por la mitad.

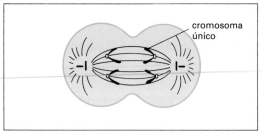

Figura E

- Una nueva membrana nuclear se forma en cada célula hija.

- Los cromosomas se desenrollan.

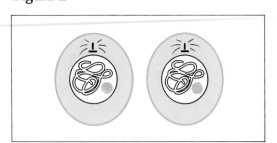

Figura F

- La célula se ha dividido y ahora hay dos células hijas. Las dos células hijas son exactamente iguales.

AHORA, INTENTA ESTO

Examina los diagramas de abajo. En los espacios en blanco, pon los diagramas en orden al escribir un número del 1 al 5 para indicar la etapa correspondiente de mitosis.

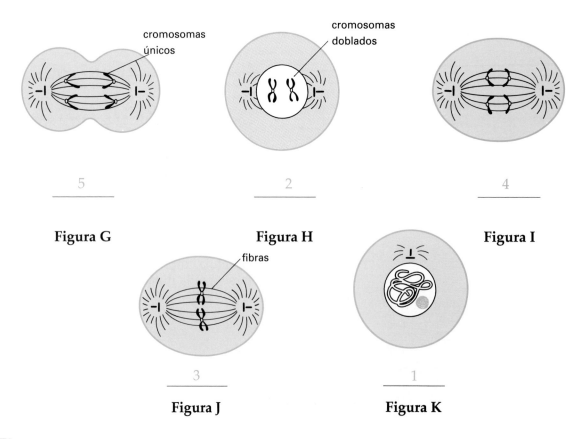

cromosomas únicos

cromosomas doblados

5

Figura G

2

Figura H

4

Figura I

fibras

3

Figura J

1

Figura K

LA DIVISIÓN CELULAR DE LAS PLANTAS

Las células vegetales (de las plantas) también se reproducen por medio de la división celular. Igual que las células animales, las células vegetales hacen copias de sí mismas y llevan a cabo la mitosis. Sin embargo, en las células vegetales, se forman una nueva pared celular y una nueva membrana celular a lo largo de la mitad de la célula. Forman una pared entre los dos núcleos nuevos. Entonces, se forman dos células hijas, una a cada lado de la nueva pared celular.

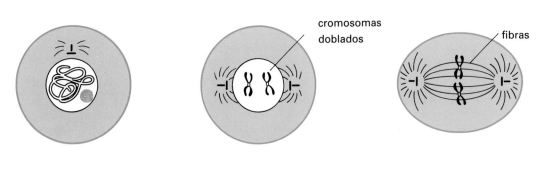

| **Figura L** | **Figura M** | **Figura N** |

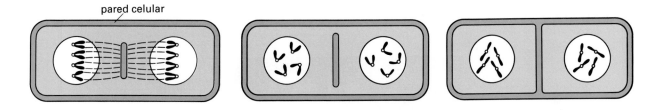

| **Figura O** | **Figura P** | **Figura Q** |

Usa las Figuras de L a Q para contestar las siguientes preguntas.

1. ¿Qué se muestra en el diagrama, la división celular vegetal o animal? _____vegetal_____

2. ¿Cómo lo sabes? _____se forma una pared celular por la mitad de la célula_____

3. ¿Qué sucede en la Figura N? _____los pares de cromosomas se alinean a lo largo del centro de la célula_____

4. ¿Qué sucede en la Figura O? _____un cromosoma de cada par se estira a extremos opuestos de la célula_____

5. ¿Qué significan las líneas quebradas alrededor de los cromosomas en la Figura M?

_____que la membrana nuclear se está desapareciendo_____

En los espacios en blanco, escribe "Cierto" si la oración es cierta. Escribe "Falso" si la oración es falsa.

Cierto   **1.** Los cromosomas determinan las características que va a tener un ser vivo.

Cierto   **2.** La división del núcleo se llama mitosis.

Falso   **3.** La división celular es una forma de reproducción sexual.

Falso   **4.** La mitosis resulta en células que son diferentes, una de la otra.

Cierto   **5.** Las células hijas formadas por la división celular se ven exactamente iguales.

Falso   **6.** La membrana celular controla la división de la célula.

Cierto   **7.** Las células corporales son todas las células, menos las células sexuales.

Cierto   **8.** Cada una de tus células corporales tiene dos conjuntos de 23 cromosomas.

Falso   **9.** Las células animales y las vegetales se dividen de la misma manera.

Falso   **10.** La mitosis sucede sólo en organismos que se reproducen asexualmente.

AMPLÍA TUS CONOCIMIENTOS

Figura R

Las células producen células solamente de su propia especie. Basándote en tus propias experiencias, ¿cómo sabes que es cierto? Las respuestas variarán. Una posible respuesta: La piel herida produce nuevas células de la piel.

¿Qué es la bipartición?
¿Qué es la gemación?

12

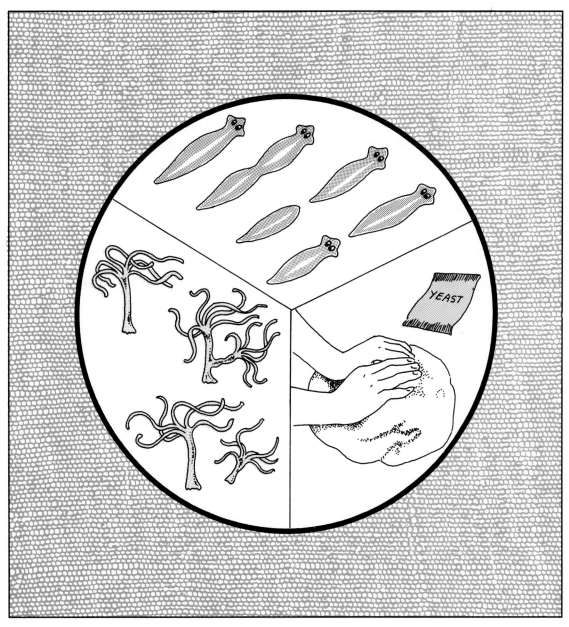

bipartición: forma de reproducción asexual en que una célula se divide en dos células idénticas
gemación: forma de reproducción asexual en que una pequeña parte de una célula se desprende para formar un nuevo organismo

LECCIÓN 12 | ¿Qué es la bipartición?
¿Qué es la gemación?

Tienes una madre. También tienes un padre. Tienes dos padres: uno femenino y uno masculino.

Tu perro o tu gato también tiene dos padres. También los tiene una mosca. En realidad, la mayoría de los seres vivos provenían de dos padres.

La reproducción que requiere dos padres se llama la <u>reproducción sexual</u>.

Otro tipo de reproducción requiere solamente un padre o progenitor. Este tipo de reproducción se llama la reproducción asexual. Dos métodos de la reproducción asexual son la **bipartición** y la **gemación**.

LA BIPARTICIÓN La bipartición es el método más sencillo de la reproducción asexual. Es la simple división celular. Las bacterias y muchos otros organismos de una célula se reproducen por medio de la bipartición.

Funciona la bipartición así:

- Un organismo crece hasta alcanzar su tamaño completo. La materia hereditaria se duplica.

- Entonces, el organismo se divide en dos. Llega a ser dos células "hijas" Las células hijas son exactamente iguales. También son exactamente iguales a la célula madre, salvo que cada célula hija tiene la mitad del tamaño de la célula madre.

Cada célula hija lleva a cabo sus propias funciones de vida. Cuando cada célula hija alcanza su tamaño completo, se divide en dos. Así produce dos células hijas nuevas. Este proceso sucede una y otra vez.

LA GEMACIÓN Otro tipo de reproducción asexual es la gemación. En la gemación, se forma una nueva célula de una gema pequeña que crece de la célula madre. Cuando llega a ser suficientemente grande, la gema se desprende de la célula madre. Esta nueva célula sigue creciendo. Cuando llega a ser suficientemente grande, se reproduce de la misma forma.

Has aprendido que la bipartición resulta en dos células hijas de tamaño <u>igual</u>. La gemación es diferente. La gemación resulta en dos células de tamaños <u>distintos</u>. Las células no son exactamente iguales en tamaño. La materia hereditaria de la progenie, sin embargo, es exactamente igual a la de la célula madre.

Varios tipos de organismos se reproducen por medio de la gemación. Las levaduras son las más comunes. Las levaduras son organismos de una célula.

Examina las Figuras A, B y C y contesta las preguntas sobre cada una.

Las bacterias son organismos microscópicos. Se reproducen por medio de la bipartición.

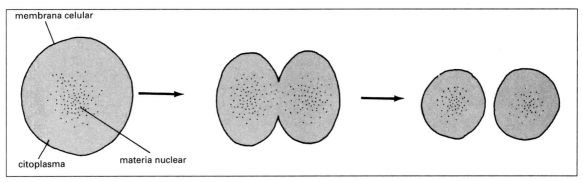

Figura A   *Una sola bacteria reproduciéndose por la bipartición.*

1. ¿Cuáles son las tres partes de una bacteria que se enseñan?   <u>membrana celular</u>

   <u>citoplasma</u>   <u>materia nuclear</u>

2. ¿Cómo se compara la materia nuclear de la célula madre con la de cada una de las

   células hijas?   <u>Es exactamente igual. Cada célula hija tiene solamente la mitad de la</u>

   <u>materia nuclear de la célula madre.</u>

3. Aproximadamente, ¿cuánto del citoplasma de la célula madre recibe cada célula hija?

   <u>la mitad</u>
   la mitad, un cuarto, todo

El paramecio y la ameba son organismos simples de una célula. Son de tamaño microscópico. Se reproducen también por medio de la bipartición.

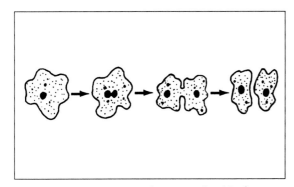

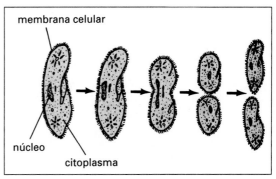

Figura B   *Una ameba reproduciéndose por la bipartición.*

Figura C   *Un paramecio reproduciéndose por la bipartición.*

4. ¿Cuáles son las tres partes de la célula que se ven en las Figuras B y C?

   membrana celular   núcleo   citoplasma

5. ¿Qué le pasa a la materia nuclear de la célula madre antes de dividirse?

   Se duplica.

6. Aproximadamente, ¿cuánto del citoplasma de la célula madre recibe cada célula hija?

   la mitad

7. ¿Son exactamente iguales las células hijas? _____ sí _____

8. Las células hijas son idénticas a la célula madre, menos en un aspecto. ¿Qué es?

   Sólo tienen la mitad del tamaño.

9. ¿Qué tipo de reproducción es la bipartición? ___ asexual ___
                                                 sexual, asexual

10. ¿Cuántas células madres participan en la bipartición? _____ una _____

PARA COMPRENDER LA GEMACIÓN

En la Figura D se ve la gemación de una célula de levadura. Lee la explicación y contesta las preguntas.

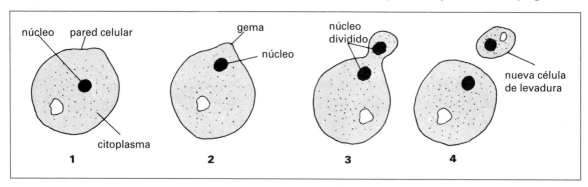

Figura D   *Una célula de levadura reproduciéndose por la gemación.*

- Cuando una célula de levadura empieza a reproducirse por la gemación, parte de su pared celular empieza a hincharse. Esta hinchazón es el principio de la gema (1).

- El núcleo se mueve hacia la gema (2).

- El núcleo se divide igualmente. Ahora hay dos núcleos. Un núcleo se mueve dentro de la gema. El otro núcleo se queda en la célula madre (3).

- La gema se agranda cada vez más. Cuando sea lo suficientemente grande, se desprende de la célula madre (4).

- Esta nueva célula de levadura lleva a cabo las funciones de vida. Se alimenta y crece. Cuando sea lo suficientemente grande, se reproduce también por medio de la gemación.

1. Durante la gemación, el núcleo _____se divide igualmente_____ .
   se divide igualmente, se divide desigualmente

2. Un núcleo se queda en la célula madre. El otro se mueve ____dentro de la gema____ .
   dentro de, fuera de

3. La cantidad de citoplasma en la célula madre es _____más de_____ la cantidad en la gema.
   más de, menos de

4. La gemación es una forma de reproducción _____asexual_____ .
   asexual, sexual

5. ¿Cuántos padres participan en la gemación? _____uno_____

COMPLETA LA ORACIÓN

Completa cada oración con una palabra o una frase de la lista de abajo. Escribe tus respuestas en los espacios en blanco. Algunas palabras pueden usarse más de una vez.

distintos	iguales	reproducción
sexual	asexual	una célula
bipartición	gemación	

1. La creación de vida nueva se llama la _____reproducción_____ .

2. La reproducción que requiere dos padres se llama la reproducción _____sexual_____ .

3. La reproducción que requiere un padre se llama la reproducción _____asexual_____ .

4. El tipo más sencillo de la reproducción asexual es la _____bipartición_____ .

5. Las bacterias se reproducen por medio de la _____bipartición_____ .

6. Las amebas son organismos simples de _____una célula_____ .

7. Las amebas se reproducen por medio de la _____bipartición_____ .

8. Las células de levadura se reproducen por medio de la _____gemación_____ .

9. La bipartición resulta en células de tamaños _____iguales_____ .

10. La gemación resulta en células de tamaños _____distintos_____ .

HACER CORRESPONDENCIAS

Empareja cada término de la Columna A con su descripción en la Columna B. Escribe la letra correcta en el espacio en blanco.

Columna A		Columna B	
__d__	**1.** la reproducción sexual	**a)**	requiere un padre
__a__	**2.** la reproducción asexual	**b)**	produce células de igual tamaño
__b__	**3.** la bipartición	**c)**	se reproducen por la gemación
__e__	**4.** la gemación	**d)**	requiere dos padres
__c__	**5.** las levaduras	**e)**	produce células de distintos tamaños

CIERTO O FALSO

En los espacios en blanco, escribe "Cierto" si la oración es cierta. Escribe "Falso" si la oración es falsa.

__Falso__ **1.** La producción de vida nueva es la respiración.

__Falso__ **2.** Sólo los animales se reproducen.

__Falso__ **3.** Las levaduras se reproducen por medio de la bipartición.

__Cierto__ **4.** Se necesitan dos padres para la reproducción sexual.

__Cierto__ **5.** Se necesita una célula madre para la reproducción asexual.

__Falso__ **6.** Las bacterias y las levaduras se reproducen por la reproducción sexual.

__Cierto__ **7.** La bipartición es una forma de reproducción asexual.

__Cierto__ **8.** La bipartición resulta en progenie de igual tamaño.

__Falso__ **9.** La gemación es una forma de reproducción sexual.

__Falso__ **10.** La gemación resulta en progenie de igual tamaño.

AMPLÍA TUS CONOCIMIENTOS

1. Cuando se reproduce una bacteria, se producen dos células hijas. Con las condiciones propicias, las bacterias se reproducen cada 30 minutos.

    a) Si empiezas con una sola bacteria, ¿cuántas bacterias tendrás después de una hora? ___cuatro___

    b) ¿Cuántas tendrás después de dos horas? ___dieciséis___

¿Qué son esporas?

13

esporas: células reproductoras
esporangio: estructura que contiene las esporas

¿Has visto alguna vez algo como "pelusa" creciendo en el pan viejo? Si dices que sí, probablemente has visto el moho de pan. El moho es un organismo de muchas células (multicelular). De algunas maneras, los mohos son como las levaduras. Pero los mohos no se reproducen por medio de la gemación como las levaduras. Los mohos se reproducen por medio de células reproductoras especiales que se llaman **esporas**.

Las células de un moho producen muchas ramitas como hilos. Algunos de los hilos son parecidos a raíces. Crecen hacia abajo dentro del alimento que consume el moho.

Otras ramitas como hilos se crecen hacia arriba. Encima de estos hilos hay una bolita. La bolita, o el **esporangio**, contiene miles de esporas. Las esporas son células reproductoras. Una espora de moho es una célula especial que puede reproducir otras plantas de moho. (Recuerda: los seres vivos se producen otros de su especie.)

Cuando un esporangio crezca a su tamaño completo, se estalla. Las esporas salen volando al aire. Tienen peso muy liviano y el movimiento más mínimo de aire los puede transportar. Las esporas se caen sobre todo. Están en ti y en todo lo que te rodea.

Las esporas se caen sobre el pan y los otros alimentos. Si la temperatura y la humedad son propicias, las esporas crecen. Llegan a ser nuevas plantas de moho.

Otros organismos, tales como los hongos y algunas plantas, se reproducen con esporas. La reproducción por medio de esporas es aún otra forma de la reproducción asexual. Es la forma de reproducción asexual más sencilla que utiliza células reproductoras especiales.

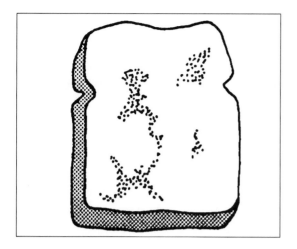

Figura A *El moho de pan se ve así.*

El moho de pan tiene pelusa. Al principio es blanco. Luego, se pone gris y después, negro. Muchas veces el moho tiene mal olor.

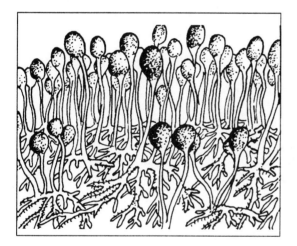

Figura B *Así se ve el moho de pan con un microscopio.*

El moho tiene forma de hilo. Algunos hilos crecen hacia el pan y absorben los alimentos. Los otros hilos crecen hacia arriba.

Al extremo de cada hilo recto hay un esporangio. Un esporangio contiene miles de células especiales que se llaman esporas. Cada espora puede reproducir una nueva planta de moho.

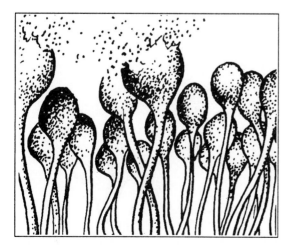

Figura C *Cuando un esporangio llega a su tamaño completa, se estalla.*

Las esporas viajan por el aire. Se caen sobre toda.

Las esporas que se caen sobre los alimentos pueden llegar a ser nuevas plantas de moho. Se reproducen si la temperatura y la humedad son propicias.

COMPLETA LA ORACIÓN

Completa cada oración con una palabra o una frase de la lista de abajo. Escribe tus respuestas en los espacios en blanco. Algunas palabras pueden usarse más de una vez.

gemación	pelusa	bipartición
moho	humedad	temperatura
muchas	alimentos	como hilos
esporangio	esporas	

1. Los tres tipos de reproducción asexual son la ___gemación___ , la ___bipartición___ y la reproducción por ___esporas___ .

2. La forma más sencilla de la reproducción que usa células reproductoras especiales es la reproducción por medio de ___esporas___ .

3. Un moho es un organismo simple de ___muchas___ células.

4. Sin microscopio, el moho tiene ___pelusa___ .

5. Con microscopio, vemos que el moho se forma por muchas ramitas ___como hilos___ .

6. Las ramitas como hilos que crecen hacia abajo absorben los ___alimentos___ .

7. Cada ramita que crece hacia arriba tiene un ___esporangio___ encima de ella.

8. Un esporangio contiene miles de ___esporas___ .

9. Una sola espora de moho puede llegar a ser un nuevo ___moho___ .

10. Una espora de moho puede llegar a ser una nueva planta de moho si se cae sobre ___alimentos___ y si la ___temperatura___ y la ___humedad___ son propicias.

¿ES LA ESPORA UNA SEMILLA?

Una espora no es una semilla. Una semilla resulta de la unión de dos células padres: una masculina y una femenina. Se producen las semillas por medio de la reproducción sexual.

Una espora la hace una célula madre. Las esporas se producen por medio de la reproducción asexual.

Figura D

PARA CULTIVAR TU PROPIO MOHO

Lo que necesitas (los materiales)

un pequeño pedazo de pan   una jarra pequeña con tapa
toalla de papel   agua

Cómo hacer el experimento (el procedimiento)

I. Prepara la jarra.

Figura E

1. Dobla una toalla de papel por la mitad y luego vuelve a doblarla por la mitad.

2. Recorta un pedazo de la toalla de papel para que quepa en el fondo de la jarra.

3. Pon una pequeña cantidad de agua en la jarra: sólo lo necesario para mojar la toalla por completo. Vierte el agua sobrante de la jarra.

II. Recoge las esporas

4. Frota el pan sobre el polvo. (Hay polvo en todas las casas.) Busca en cualquier lugar donde es difícil de limpiar con regularidad.

5. Coloca el pan sobre el papel mojado en la jarra, con el lado con el polvo cara arriba.

6. Coloca la tapa en la jarra, pero no firmemente. Esto es muy importante.

7. Coloca la jarra en un lugar oscuro donde no hace mucho frío.

8. Obsérvala cada día por una semana.

Haz dibujos en las cajas de abajo para mostrar cómo se veía el moho mientras crecía.

Revise los dibujos de los estudiantes.	

Después de 2 días   *Después de 4 días*

Después de 6 días   *Después de 8 días*

CIERTO O FALSO

En los espacios en blanco, escribe "Cierto" si la oración es cierta. Escribe "Falso" si la oración es falsa.

Cierto   **1.** La reproducción por medio de esporas es una forma de reproducción asexual.

Cierto   **2.** Los mohos se reproducen por medio de esporas.

Falso   **3.** Un moho es un animal verde de una sola célula.

Falso   **4.** El moho produce sus propios alimentos.

Cierto   **5.** Un moho tiene muchas ramitas como hilos.

Cierto   **6.** Las ramitas de moho que crecen hacia abajo alimentan al moho.

Falso   **7.** Un esporangio contiene semillas.

Falso   **8.** Las esporas de moho pueden llegar a ser células de levadura.

Cierto   **9.** Las esporas son muy pequeñas.

Falso   **10.** Cada espora de moho llega a ser una planta de moho. (¡Piénsalo bien!)

PALABRAS REVUELTAS

A continuación hay varias palabras revueltas que has usado en esta lección. Pon las letras en orden y escribe tus respuestas en los espacios en blanco.

1. ROSEPA   ESPORA

2. OMHO   MOHO

3. LUPASE   PELUSA

4. NAP   PAN

5. UALSAEX   ASEXUAL

AMPLÍA TUS CONOCIMIENTOS

1. Escribe tres cosas que una espora necesita para crecer.

humedad   alimentos   temperatura propicia

2. ¿Crees que una semilla necesita las mismas cosas para crecer? sí

¿Qué es la regeneración?

14

regeneración: capacidad de un animal para reproducir o restaurar partes del cuerpo que se han perdido

| ## ¿Qué es la regeneración?

Algo ataca un lagarto y lo agarra por la cola. La cola se desprende. El lagarto se escapa. Poco a poco, la cola del lagarto vuelve a crecer. La cola se reproduce por el proceso de **regeneración**. La regeneración es la capacidad de un animal para reproducir o restaurar las partes del cuerpo que se han perdido.

La regeneración en los animales varía mucho. Algunos animales pueden reproducir sólo las partes pequeñas. El lagarto es uno de estos animales. Otros pueden regenerar partes grandes del cuerpo. Aun otros pueden regenerar un organismo entero de sólo una parte del animal. Ésta es una forma de reproducción asexual.

Por ejemplo, una estrella de mar puede reproducirse por medio de la regeneración. La mayoría de las estrellas de mar tienen cinco brazos. Si se corta sólo uno de los brazos, junto con una parte del centro del cuerpo de la estrella de mar, se puede reproducir una nueva estrella de mar entera.

Cuánto puede regenerarse un animal depende de lo simple o lo complejo que es ese animal. La regeneración en los animales complejos es muy limitada. Los mamíferos sólo pueden regenerar la piel, las uñas, el pelo y ciertos otros tejidos. Los mamíferos no pueden regenerar partes enteras, tales como un brazo o una pierna.

En las Figuras A y B se ve la regeneración de una estrella de mar. Examina las figuras y contesta las preguntas.

Figura A

Figura B

Una estrella de mar puede regenerar los brazos perdidos. Pero puede regenerar aún más.

La estrella de mar regenera una nueva estrella de mar entera de un brazo y parte del centro.

1.   a)   ¿Se puede regenerar más de una estrella de mar de sólo una estrella de mar de

cinco brazos? __sí__   b)   ¿Cuántas? __5__

2.   a)   ¿Cuál de las figuras muestra una forma de reproducción asexual? __B__
     A, B, las dos

     b)   Explica tu respuesta. __Cuando un nuevo organismo entero se desarrolla de sólo__

una parte del animal, es una forma de reproducción asexual.

3.   a)   ¿Cuál de las figuras muestra sólo la regeneración de una parte del cuerpo? __A__
     A,B

     b)   Explica tu respuesta. __Un brazo perdido está volviendo a crecer.__

Un *planario* es un platelminto pequeño (gusano con cuerpo en forma de cinta). Vive en las charcas.

Si se corta un planario en pedazos, regenerará las partes que le faltan.

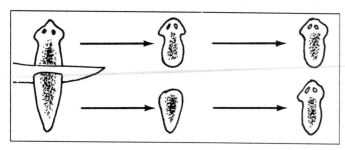

Se puede cortar un planario por la mitad del ancho del cuerpo. La sección de la cabeza volverá a crecer una cola nueva. La sección de la cola volverá a crecer una cabeza nueva.

Figura C

La forma en que se regenera un planario depende de cómo se separa. Puede ocurrir en la naturaleza, pero también se puede hacer en el laboratorio.

La Figura D muestra cuatro gusanos planarios. Cada uno fue separado de manera distinta. (Las líneas de puntos indican las separaciones.)

La Figura E enseña cuatro grupos de planarios regenerados.

¿Cuál de los planarios se regeneró en cuál de los grupos? Contesta al escribir el número correcto del grupo en el espacio.

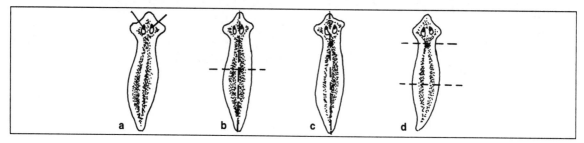

Figura D

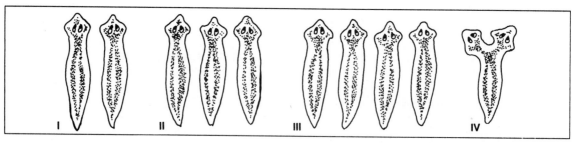

Figura E

1. Planario **a** llegó a ser grupo __IV__ .   3. Planario **c** llegó a ser grupo __I__ .

2. Planario **b** llegó a ser grupo __III__ .   4. Planario **d** llegó a ser grupo __II__ .

Figura F

Todos los días se mueren billones de tus células corporales.

Cada vez que te lavas las manos, te limpias de centenas—hasta miles—de células de la piel. Siempre se están regenerando nuevas células de la piel.

Figura G
Cada año, las astas se le caen al venado. Se le salen nuevos cuernos.

Figura H
Si se corta una lombriz en dos partes, las dos parte pueden llegar a ser lombrices enteras.

Figura I
Un lagarto de "cola de cristal" se escapa de sus enemigos al romperse el extremo de la cola. Más tarde, una nueva cola se crecerá.

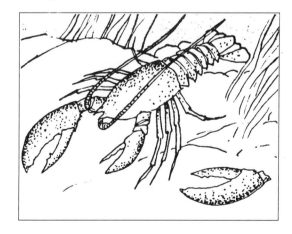

Figura J
Si una langosta o un cangrejo se pierde una pinza a un enemigo, puede regenerar una nueva.

Completa cada oración con una palabra o una frase de la lista de abajo. Escribe tus respuestas en los espacios en blanco. Algunas palabras pueden usarse más de una vez.

uñas	estrella de mar	partes enteras
simple	lagarto	regeneración
langosta	piel	seres humanos
reproducción asexual	complejo(s)	pelo
cinco	perros	planario

1. La mayoría de las estrellas de mar tienen ___cinco___ brazos.

2. La capacidad para reproducir las partes del cuerpo que se pierden se llama la ___regeneración___ .

3. La capacidad de animales para regenerar sus partes depende de lo ___simple___ o lo ___complejo___ que es el animal.

4. Los mamíferos son animales ___complejos___ .

5. Los ___perros___ y los ___seres humanos___ son ejemplos de mamíferos.

6. Los mamíferos pueden regenerar tejidos como la ___piel___ , el ___pelo___ y las ___uñas___ .

7. Los mamíferos no pueden regenerar ___partes enteras___ .

8. Dos animales simples que pueden regenerar un animal entero de sólo una parte son el ___planario___ y la ___estrella de mar___ .

9. Los animales como el ___lagarto___ y la ___langosta___ pueden reproducir ciertas partes enteras. Pero no pueden regenerar un organismo entero de sólo una parte.

10. La regeneración que forma un organismo entero de sólo una parte se considera una clase de ___reproducción asexual___ .

AMPLÍA TUS CONOCIMIENTOS

Las estrellas de mar se alimentan de las ostras. En una época, los pescadores de ostras trataban de matar las estrellas de mar. Sacaron las estrellas de mar de los ostrales. Las recortaron en pedacitos y echaron los pedazos al agua. ¿Qué crees que sucedió? Termina la historia con tus propias palabras.

Acepte todas las respuestas lógicas. Posibles respuestas son: Cada pedazo de estrella de

mar llegó a ser un nuevo animal. Los pescadores muy pronto se enfrentaron con aún más

estrellas de mar en los ostrales.

¿Qué es la propagación vegetativa?

bulbo: tallo subterráneo con hojas carnosas
corte: parte de la planta que se quita para reproducir otra planta
injertar: adherir el corte de una planta a otra planta
tubérculo: tallo subterráneo
propagación vegetativa: reproducción asexual en las plantas

Las plantas son seres vivos. Por lo tanto, se reproducen. Muchas plantas se reproducen de semillas. Otras se reproducen sin semillas. La reproducción con semillas es la reproducción sexual. La reproducción sin semillas es la reproducción asexual. La reproducción asexual de las plantas se llama **propagación vegetativa**. En la propagación vegetativa, las raíces, los tallos o las hojas reproducen una o más plantas. Hay varios tipos de propagación vegetativa. Algunos tipos son naturales. Otros tipos son artificiales.

Dos tipos de propagación vegetativa natural suceden por medio de **bulbos** y **tubérculos**.

LOS BULBOS Un bulbo en realidad es un tallo subterráneo corto rodeado de hojas gruesas sin color. Son hojas especiales. No fabrican alimentos como las hojas verdes. Éstas almacenan los alimentos producidos por las hojas verdes sobre la tierra. Las hojas protegen y alimentan al bulbo.

El bulbo que conoces mejor es la cebolla. Una planta de cebolla produce muchos bulbos. De cada bulbo puede nacer una nueva planta de cebolla. Otras plantas que nacen de bulbos son los tulipanes y las azucenas.

LOS TUBÉRCULOS Un tubérculo también es un tallo subterráneo pesado. Almacena los alimentos producidos por las hojas verdes sobre la tierra. La papa blanca es un tubérculo. (La batata o el camote no es un tubérculo.)

Un tubérculo tiene varias yemas u "ojos". En realidad, cada yema es un brote. De cada brote puede nacer una nueva planta entera.

Dos tipos de propagación artificial suceden por medio de **cortes** e **injertos**.

LOS CORTES Es posible que hayas hecho un corte de una planta casera. Recortas el tallo o una hoja de la planta. Colocas el corte en el agua o en la tierra o en la arena húmeda. En unos pocos días, se le salen raíces. Luego, puedes plantar el corte en la tierra.

Los geranios se pueden cultivar de cortes del tallo. Las begonias se pueden cultivar de cortes de las hojas.

LOS INJERTOS Injertar es adherir un corte del tallo de una planta a otra planta. Las plantas luego se juntan. Se puede injertar una planta solamente en otra planta que sea relacionada.

Se usan los injertos principalmente con los frutales.

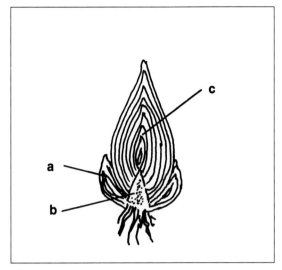

Figura A

En la Figura A se ve un bulbo. Tiene hojas sin color (a), raíces (b) y un tallo (c). Examina una cebolla y trata de identificar estas partes.

1. ¿Qué función tienen las hojas sin color? _proteger y alimentar al bulbo_

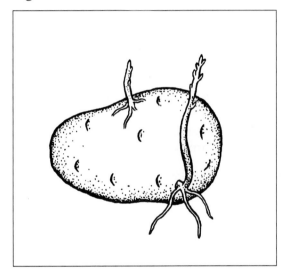

Figura B

En la Figura B se ve un tubérculo. Fíjate en las yemas de la papa. También busca las raíces más pequeñas que crecen del "tallo".

2. ¿Qué función tiene un tubérculo? _Es un tallo subterráneo que almacena los alimentos. De las yemas que crecen en el tubérculo pueden nacer plantas nuevas._

En la Figura C se ve una planta entera con bulbo.

Tiene **raíces, tallos sobre la tierra, hojas verdes, hojas sin color** y una **flor**.

3. ¿Qué parte absorbe agua y minerales? _las raíces_

4. ¿Qué parte de la planta produce los alimentos? _las hojas verdes_

5. ¿Dónde se almacenan los alimentos? _en las hojas sin color_

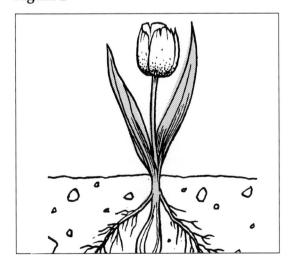

Figura C

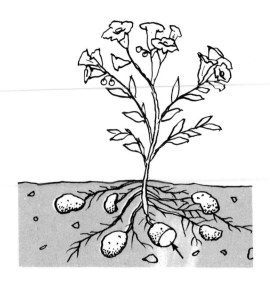

Así se ve una planta de papa entera.

Tiene raíces, tubérculos, tallos sobre la tierra, hojas verdes y unas flores pequeñas.

6. ¿Dónde se producen los alimentos para la planta de papa? _en las hojas_

7. ¿Dónde se almacenan estos alimen tos? _en los tubérculos_

8. Busca la parte de un tubérculo que se le señala con una flecha. ¿Para qué se usó? _para reproducir otras plantas de_ _papas_

Figura D

ALGO INTERESANTE

- Las flores producen frutos.

- Los frutos tienen semillas.

- De las semillas nacen plantas nuevas.

- Las plantas con bulbos y tubérculos tienen flores, frutos y semillas. Sin embargo, es raro que una planta de bulbo nace de una semilla. ¡Las papas jamás se cultivan de semillas!

¿POR QUÉ?

- Las semillas de plantas con bulbos tardan mucho en crecer.

- Las semillas de papas son débiles. Raras veces llegan a ser plantas.

HACER CORRESPONDENCIAS

Empareja cada término de la Columna A con su descripción en la Columna B. Escribe la letra correcta en el espacio en blanco.

Columna A	Columna B
_c_ 1. la propagación vegetativa	a) un brote
_e_ 2. un tubérculo	b) tallo subterráneo corto rodeado de hojas gruesas y sin color
_a_ 3. la yema del tubérculo	c) reproducción asexual de las plantas
_b_ 4. un bulbo	d) almacenan alimentos
_d_ 5. los tubérculos y las hojas sin color de los bulbos	e) tallo pesado subterráneo

LA REPRODUCCIÓN POR MEDIO DE CORTES

Figura E *El corte de un tallo.*

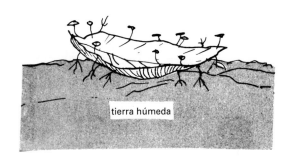

tierra húmeda

Figura F *El corte de una hoja.*

Algunas de las plantas que se reproducen de cortes de tallos son los geranios, la hiedra y muchas clases de uvas. Las rosas también se pueden reproducir de los cortes de tallos.

Las violetas africanas y algunas begonias se reproducen de cortes de hojas.

La reproducción por medio de cortes es la propagación vegetativa _____artificial_____.

<u>natural, artificial</u>

LA REPRODUCCIÓN POR MEDIO DE INJERTOS

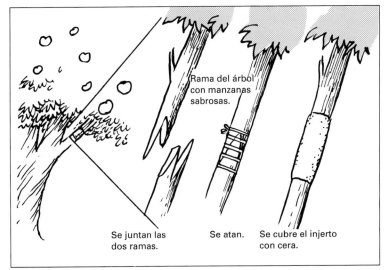

Rama del árbol con manzanas sabrosas.

Se juntan las dos ramas.

Se atan.

Se cubre el injerto con cera.

Figura G　　　　**Figura H**

El árbol grande en la Figura G es muy fuerte y puede aguantar condiciones malas. Pero las manzanas que le salen son pequeñas y no tienen buen sabor.

Las ramas de manzanos que producen manzanas grandes y sabrosas se pueden injertar en el árbol fuerte. En la Figura H se ve cómo se hace.

¿Qué clase de manzanas producirán las ramas injertadas? _____manzanas sabrosas_____

La propagación por estolones, por rizomas y por acodo son otras tres formas en que las plantas se reproducen naturalmente sin semillas.

LOS ESTOLONES El tallo principal de una planta crece derecho hacia arriba. Sostiene la planta. Algunas plantas tienen otros tipos de tallos también. Son tallos reproductores especiales que se llaman estolones. Los estolones crecen hacia fuera de las plantas y muy cerca de la tierra (Figura I).

Cada estolón tiene un brote. El brote toca la tierra y empieza una nueva planta. Las fresas, por ejemplo, se reproducen por medio de estolones.

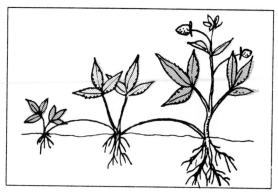

Figura I *Una planta de fresas se reproduce por medio de estolones.*

LOS RIZOMAS Un rizoma es un tallo grueso subterráneo (Figura J). Contiene alimentos almacenados. Los rizomas crecen hacia fuera de la planta.

Los rizomas tienen abultamientos que se llaman nudos. De los nudos nacen los brotes que empiezan nuevas plantas. Los lirios y muchos helechos son plantas que se reproducen por medio de rizomas.

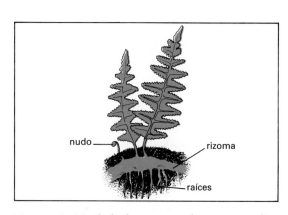

Figura J *Un helecho se reproduce por medio de rizomas.*

EL ACODO Los tallos derechos de ciertas plantas no son muy tiesos. Se inclinan hacia abajo. Si una parte inclinada toca la tierra, echa raíces y forma una planta nueva (Figura K).

La propagación por acodo sucede en la naturaleza. También se puede hacer artificialmente. Las rosas, los frambuesos y las zarzas son ejemplos de plantas que se reproducen por acodo.

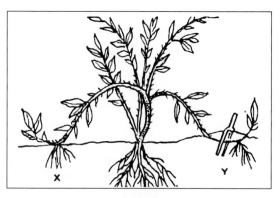

Figura K *Una planta de bayas se propaga por acodo. La reproducción por acodo puede ser natural o artificial.*

¿QUÉ MUESTRAN LOS DIBUJOS?

Mira las Figuras I, J y K y contesta las preguntas acerca de cada una.

1. ¿Cuántos estolones ves en la Figura I? _____2_____

2. En la Figura I, la planta más vieja es la de la ____derecha____ .
    <small>derecha, izquierda</small>

3. La planta más joven es la de la ____izquierda____ .
    <small>derecha, izquierda</small>

4. Los estolones crecen ____sobre____ la tierra.
    <small>sobre, debajo de</small>

5. Un estolón es una clase especial de ____tallo____ .
    <small>raíz, tallo, hoja</small>

6. ¿Qué tipos de plantas se reproducen por medio de rizomas?

    ____lirios____   ____helechos____

7. Un rizoma es una clase especial de ____tallo____ subterráneo.
    <small>raíz, tallo, hoja</small>

8. En la Figura K, ¿qué lado crees que enseña el acodo natural? ____X____
    <small>X, Y</small>

9. ¿Qué lado enseña el acodo artificial? ____Y____
    <small>X, Y</small>

10. Una planta de bayas tiene tallos ____inclinados____ .
    <small>tiesos, inclinados</small>

HAZ ESTO EN CASA

La propagación vegetativa es la reproducción asexual de una planta entera de una parte de la planta. Puedes propagar tus propias plantas enteras de sólo las partes de plantas. Usa la Figura L como una guía. Te muestra lo que tienes que hacer. Ten paciencia: tus nuevas plantas necesitan tiempo para crecer.

Figura L

COMPLETA LA ORACIÓN

Completa cada oración con una palabra o una frase de la lista de abajo. Escribe tus respuestas en los espacios en blanco. Algunas palabras pueden usarse más de una vez.

nudos
propagación vegetativa
relacionadas

húmedos
yemas
hojas sin color

tallo subterráneo
acodo
hacia fuera

1. La reproducción asexual en las plantas se llama la __propagación vegetativa__ .

2. Los rizomas tienen abultamientos que se llaman __nudos__ .

3. Un bulbo es un corto __tallo subterráneo__ .

4. Un bulbo se rodea de gruesas __hojas sin color__ .

5. Los estolones crecen __hacia fuera__ de una planta.

6. Los tallos inclinados pueden hacer que una planta se reproduzca por __acodo__ .

7. Hay que mantener __húmedos__ los cortes.

8. Un tubérculo es un grueso __tallo subterráneo__ .

9. Nuevas plantas nacen de las __yemas__ de un tubérculo madre.

10. Se usan injertos sólo con plantas __relacionadas__ .

CIERTO O FALSO

En los espacios en blanco, escribe "Cierto" si la oración es cierta. Escribe "Falso" si la oración es falsa.

__Cierto__ 1. Las plantas se reproducen asexualmente de estolones y rizomas.

__Falso__ 2. La papa es un bulbo.

__Cierto__ 3. Los rizomas crecen debajo de la tierra.

__Falso__ 4. Un tubérculo es una flor subterránea corta.

__Falso__ 5. Todos los tallos crecen hacia arriba.

__Falso__ 6. Las plantas tiesas se propagan por acodo.

__Cierto__ 7. Los cortes y los injertos son dos formas artificiales para reproducir plantas.

__Cierto__ 8. Un corte puede hacerse de un tallo o de una hoja.

__Falso__ 9. Un corte de un tallo o de una hoja debe mantenerse seco.

__Falso__ 10. Se pueden injertar todas las clases de plantas.

¿Cómo se reproducen los animales?

16

fecundación: unión de una célula del espermatozoide con una célula del óvulo
zigoto: óvulo fecundado

LECCIÓN 16 | ¿Cómo se reproducen los animales?

La mayoría de los animales se reproducen sexualmente. Has aprendido que para que suceda la reproducción sexual, tiene que haber dos padres. Del padre vienen las células sexuales masculinas, que se llaman espermatozoides. De la madre vienen las células sexuales femeninas, que se llaman óvulos. Las células sexuales también se llaman gametos.

En algunos animales se necesitan órganos especiales del cuerpo para la reproducción. Los órganos masculinos, que se llaman testículos, producen espermatozoides. Los órganos femeninos, que se llaman ovarios, producen óvulos.

El proceso de la **reproducción** empieza cuando se unen un espermatozoide y un óvulo. La fecundación es la unión de una célula de espermatozoide y un óvulo.

En algunos animales, la fecundación sucede fuera del cuerpo. En otros animales, la fecundación sucede dentro del cuerpo de la hembra.

La fecundación que sucede fuera del cuerpo se llama la fecundación externa. Los peces dorados y las ranas son dos animales que se reproducen por la fecundación externa.

La fecundación que sucede dentro del cuerpo se llama la fecundación interna. Las aves, las culebras y los perros son algunos animales que se reproducen por la fecundación interna.

El óvulo fecundado se llama un **zigoto**. Un zigoto es el comienzo de una nueva vida. Un zigoto es una sola célula. Muy pronto después de formarse, el zigoto se divide. Se hace dos células. Luego, cada una de estas células se divide. Las dos células llegan a ser cuatro células. Luego, estas células vuelven a dividirse. La división celular sucede una y otra vez. Un organismo joven, o sea, un embrión, se forma.

Al dividirse, las células forman tejidos y órganos. El embrión aumenta de tamaño. Cuando el embrión esté completamente desarrollado, sucede el parto o nacimiento. La progenie, o el descendiente, ahora es un organismo individual. Necesita llevar a cabo todas las funciones de vida por su propia cuenta.

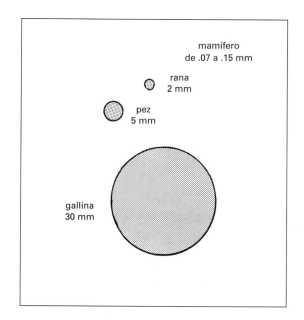

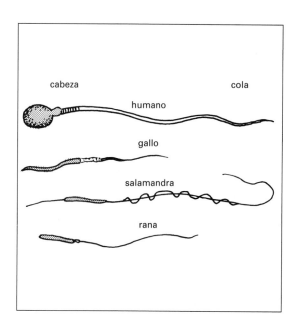

Figura A *Los tamaños de óvulos*

Figura B *Células de espermatozoides (muy aumentadas)*

Un óvulo es redondo y grande. Algunos óvulos se pueden ver solamente con el ojo. Un óvulo no puede moverse de un lugar a otro.

Un espermatozoide nada libremente. Un espermatozoide tiene una "cabeza" y una "cola". La cola se menea fuertemente. Así se mueve el espermatozoide por adelante hacia el óvulo.

LA FECUNDACIÓN

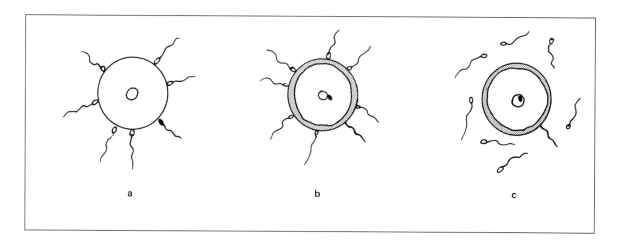

Figura C *La fecundación de un óvulo humano*

Examina la Figura C. Luego, contesta las preguntas.

1. ¿Cuál es más grande, un espermatozoide o un óvulo? _____ un óvulo _____

105

2. Un espermatozoide es ___mucho___ más pequeño que un óvulo.
un poco, mucho

3. ¿Cuál es el gameto masculino? ___la célula del espermatozoide___

4. ¿Cuál es el gameto femenino? ___la célula del óvulo___

5. ¿Cuál se mueve libremente? ___el espermatozoide___

6. ¿Cuántos espermatozoides nadan hacia un óvulo? ___muchos___
sólo uno, muchos

7. ¿Cuántos espermatozoides entran en el óvulo? ___sólo uno___
sólo uno, muchos

8. ¿Cuántos espermatozoides fecundan el óvulo? ___sólo uno___
sólo uno, muchos

9. ¿Qué parte del espermatozoide entra en el óvulo? ___la cabeza___

10. ¿Qué parte se queda atrás? ___la cola___

CIERTO O FALSO

En los espacios en blanco, escribe "Cierto" si la oración es cierta. Escribe "Falso" si la oración es falsa.

___Falso___ **1.** Sólo los animales se reproducen sexualmente.

___Falso___ **2.** Todos los animales se reproducen sexualmente.

___Cierto___ **3.** Para la reproducción sexual, se necesitan dos padres.

___Cierto___ **4.** Las hembras producen gametos que son óvulos.

___Cierto___ **5.** Los machos producen gametos que son espermatozoides.

___Falso___ **6.** Los óvulos se mueven libremente.

___Cierto___ **7.** Las células de óvulos son más grandes que los espermatozoides.

___Falso___ **8.** Muchas células de espermatozoides fecundan un óvulo.

___Cierto___ **9.** Un óvulo fecundado se divide muchas, muchas veces.

___Falso___ **10.** Un embrión es un organismo completamente desarrollado.

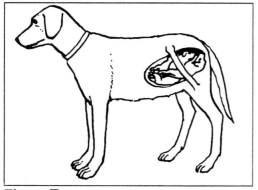

Figura D

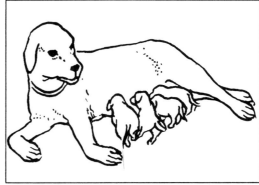

Figura E

Los perros y los gatos, como los seres humanos, son mamíferos. Los óvulos mamíferos se fecundan y los embriones se desarrollan internamente. Cuando un embrión esté completamente desarrollado, nace. Los mamíferos femeninos producen leche para alimentar a sus crías.

Figura F

Los animales, tales como las aves y las culebras, no son mamíferos. Los óvulos de aves y culebras se fecundan internamente. Sin embargo, la hembra pone los huevos, o sea, los óvulos fecundados. Entonces, los embriones se desarrollan fuera del cuerpo de la madre. Cuando los embriones estén completamente desarrollados, nacen al salirse del huevo.

COMPLETA LA TABLA

Contesta las preguntas al escribir "sí" o "no" en las casillas.

	Mamíferos	**Aves**	**Culebras**
1. ¿Es interna la fecundación?	sí	sí	sí
2. ¿Es interno el desarrollo?	sí	no	no
3. ¿Producen leche las hembras?	sí	no	no
4. ¿Salen de huevos los embriones?	no	sí	sí
5. ¿Es externa la fecundación?	no	no	no

ALGUNOS DATOS INTERESANTES SOBRE LA REPRODUCCIÓN MAMÍFERA

El período de tiempo entre la fecundación y el parto o nacimiento se llama la gestación. El tiempo que dura la gestación varía mucho de un animal a otro.

Animal (mamífero)	Período de gestación (aproximado)
hámster	16½ días
ratón casero	21 días
conejo	30 días
perro o gato	63 días
león	108 días
chimpancé	237 días
ser humano	267 días
vaca	281 días
caballo	336 días
elefante	660 días

Generalmente...

1. Por más pequeño que sea el animal,

   __menos__ tiempo dura la gestación.
   más, menos

2. Por más grande que sea el animal,

   __más__ tiempo dura la gestación.
   más, menos

3. ¿Cuál de los animales de la tabla tiene la gestación más larga? __elefante__

4. ¿Cuál de los animales de la tabla tiene la gestación más corta? __hámster__

5. ¿Cuál tiene la gestación más larga, un ser humano o un chimpancé? __un ser humano__

AMPLÍA TUS CONOCIMIENTOS

Generalmente, ¿cuántas crías nacen de mamíferos a la vez? Pues, depende del animal. Por ejemplo, de una yegua nace una cría. Del elefante también nace una cría, igual que un ser humano. De los gatos nacen entre 4 y 5 gatitos, y de los perros nacen entre uno a 12 perritos a la vez. De los leones nacen entre 3 y 5 cachorros. Y de un ratón nacen entre 4 y 7 ratoncitos.

¿Qué nos dice el número de crías acerca del número de óvulos fecundados? __El número de crías generalmente es el mismo que el número de óvulos fecundados.__

Generalmente, ¿cuántos óvulos produce un ser humano femenino a la vez? __1__

¿Cómo lo sabes? __Por lo general, los seres humanos sólo tienen un hijo o una hija__

¿Cómo se reproducen y se desarrollan los peces? | 17

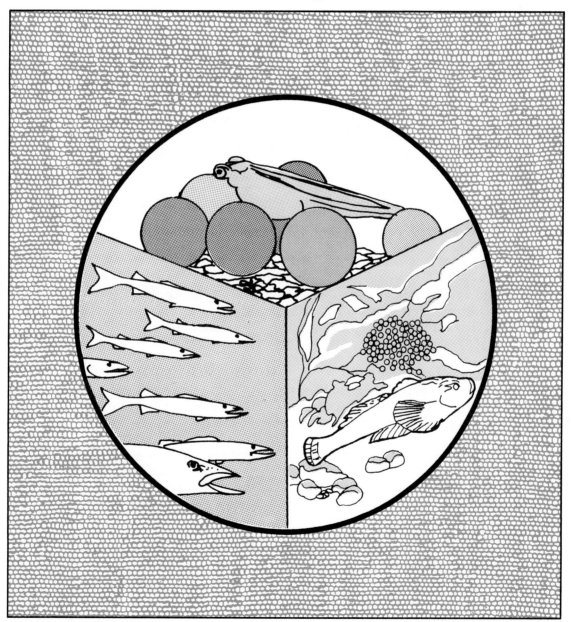

alevines: pececillos jóvenes
lecha: líquido lechoso de un pez que contiene los espermatozoides
hueva: huevecillos de peces
desove: cría de peces
membrana vitelina: parte del huevo que alimenta a los alevines

¿Tenías alguna vez una pecera? ¿Criaste los peces tropicales que se llaman olominas (*guppies*)? ¿Has visto a una olomina durante el nacimiento de sus crías?

La fecundación en las olominas sucede internamente, o sea, dentro del cuerpo de la hembra. Los embriones también se desarrollan internamente. Las crías nacen vivas. Desde el momento en que nacen, se defienden solos. Nadan, buscan alimentos y se esconden de peligros.

La mayoría de los peces no se desarrollan de esta forma. Para la mayoría de los peces, la fecundación y el crecimiento del embrión son externos. Los óvulos se fecundan fuera del cuerpo de la hembra.

Ocurre así:

La hembra pone miles y miles—hasta millones—de huevecillos que se llaman la **hueva**. Depositar huevos no fecundados se llama el **desove**. Cada huevecillo contiene una gran cantidad de material alimenticio que se llama la yema.

El macho nada encima de los huevecillos y echa un líquido que se llama **lecha**. La lecha es un líquido lechoso que contiene millones de espermatozoides. Estos espermatozoides que nadan libremente llegan a los huevecillos (los óvulos) y los fecundan. Así se forman muchos zigotos.

Cada zigoto se divide muchas veces. El zigoto se hace un embrión. El embrión se desarrolla en un pececillo muy joven que se llama un **alevín**. Cuando el alevín haya crecido hasta tener un tamaño adecuado, sale del huevecillo.

Una parte del huevecillo, que se llama la membrana vitelina, se queda adherida al alevín y lo alimenta. Al crecerse el alevín, la membrana vitelina se encoge. Pronto, se ha agotado toda la membrana, y el pez se pone lo suficientemente grande para buscar sus propios alimentos.

Estudia las Figuras de A a D. Contesta las preguntas sobre cada una.

La hembra deposita
muchos huevecillos.

El macho echa un líquido encima de los huevecillos.

Figura A   **Figura B**

1. ¿Cómo se llama el depósito de huevecillos no fecundados? _____el desove_____

2. ¿Qué nombre se le da a la masa de estos huevecillos? _____la hueva_____

3. ¿Cómo se llama el líquido de la Figura B? _____la lecha_____

4. ¿Qué contiene este líquido? _____espermatozoides_____

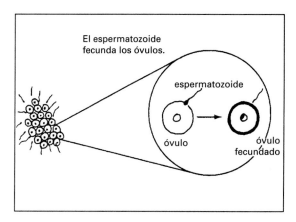

El espermatozoide
fecunda los óvulos.

espermatozoide

óvulo

óvulo
fecundado

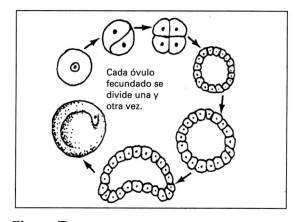

Cada óvulo
fecundado se
divide una y
otra vez.

Figura C   **Figura D**

5. ¿Cómo llegan los espermatozoides a los óvulos? _____Nadan libremente. Nadan hacia_____

_____los óvulos._____

6. ¿Cuántas células de espermatozoides fecundan un óvulo? _____uno_____

7. ¿Cómo se llama un óvulo fecundado? _____un zigoto_____

8. Después de que un zigoto se haya dividido muchas veces, ¿qué llega a ser?

_____un embrión_____

9. ¿Cómo se llama un pececillo muy joven? _____un alevín_____

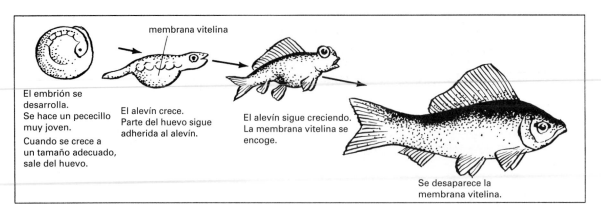

membrana vitelina

El embrión se desarrolla. Se hace un pececillo muy joven.

Cuando se crece a un tamaño adecuado, sale del huevo.

El alevín crece. Parte del huevo sigue adherida al alevín.

El alevín sigue creciendo. La membrana vitelina se encoge.

Se desaparece la membrana vitelina.

Figura E

10. ¿Cómo se llama la parte del huevo que se adhiere al alevín? <u>la membrana vitelina</u>

11. ¿Cuál es la función de la membrana vitelina? <u>alimentar al alevín</u>

12. Al crecerse el alevín, ¿qué le pasa a la membrana vitelina? <u>Se encoge.</u>

13. Mira el último dibujo de la Figura E. ¿Qué le ha pasado al alevín? <u>Se ha hecho grande.</u>

14. ¿Cómo conseguirá el alimento ahora? <u>Buscará su alimento.</u>

ALGUNAS COSTUMBRES RARAS DE LA CRIANZA

La hembra de los peces <u>Convoy</u> (literalmente, "pez de escolta") transporta los huevecillos fecundados en la boca hasta que nazcan. Los pececillos recién nacidos nadan cerca de su madre. Cuando haya peligro, los pececillos entran rápidamente en la boca de su madre.

Figura F *El pez* Convoy

Figura G *El hipocampo*

Figura H *El pez espinoso de agua fresca*

El hipocampo se parece a un caballo. El macho de los hipocampos se cuida de los huevecillos fecundados. Los lleva en una bolsa ubicada sobre el abdomen.

¿Sólo hacen nidos las aves? ¡No! El pez espinoso de agua fresca construye un nido de las briznas de plantas. Luego, la hembra pone los huevos en el nido.

Los salmones pacíficos nacen en arroyos de agua dulce, pero pasan la mayor parte de su vida en el agua salada del Océano Pacífico. Sin embargo, regresan al agua dulce para desovar. Los salmones adultos nadan río arriba, algunos viajando hasta 2000 millas. Batallan con las corrientes rápidas y saltan sobre cascadas de hasta 3 metros de alto. Desovan solamente una vez y se mueren poco después.

Figura I

1. ¿Por qué se destacan los machos de hipocampos? _Se cuidan de los huevos fecundados. En el mundo animal, es la hembra que generalmente se cuida de los huevos._

2. ¿Cómo evitan peligros las crías de peces *Convoy*? _Entran nadando en la boca de su madre._

3. ¿Cuántas veces puede desovar un salmón pacífico? _una vez_

4. ¿En qué se parecen los peces espinosos de agua fresca y las aves? _Los dos construyen nidos._

5. ¿Están adaptados los salmones pacíficos al agua dulce y al agua salada? _sí_

6. ¿Cómo lo sabes? _Pasan parte de la vida en agua dulce y parte en agua salada._

COMPLETA LA ORACIÓN

Completa cada oración con una palabra o una frase de la lista de abajo. Escribe tus respuestas en los espacios en blanco.

fuera	membrana vitelina	desove
alevín	externamente	espermatozoides
hueva	pez	alimenta
lecha		

1. En la mayoría de los peces, la fecundación del embrión sucede __externamente__ .

2. En la fecundación externa, el óvulo se fecunda __fuera__ del cuerpo.

3. La masa de huevecillos de pez se llama la __hueva__ .

4. El depósito de huevecillos de pez no fecundados se llama el __desove__ .

5. El líquido echado encima de los huevecillos por el macho es la __lecha__ .

6. La lecha contiene millones de __espermatozoides__ .

7. Un pececillo muy joven se llama un __alevín__ .

8. La parte del huevecillo adherida al alevín recién nacido se llama la __membrana vitelina__ .

9. La membrana vitelina __alimenta__ al alevín en desarrollo.

10. Cuando se ha agotado una membrana vitelina, el alevín ha llegado a ser un

    __pez__ más grande.

HACER CORRESPONDENCIAS

Empareja cada término de la Columna A con su descripción en la Columna B. Escribe la letra correcta en el espacio en blanco.

Columna A		Columna B	
__c__ 1.	la fecundación externa	a)	el depósito de huevecillos del pez
__b__ 2.	la hueva	b)	masa de huevecillos de pez
__a__ 3.	el desove	c)	método para la mayoría de los peces
__e__ 4.	la lecha	d)	pececillos en desarrollo
__d__ 5.	el alevín	e)	líquido con espermatozoides de pez
__g__ 6.	yema	f)	externo
__f__ 7.	fuera de	g)	material alimenticio

114

CRUCIGRAMA

Usa las pistas para solucionar el crucigrama.

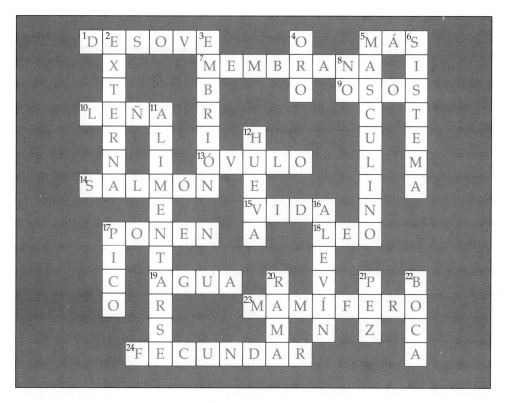

PISTAS

HORIZONTALES

1. Depósito de huevos no fecundados
5. Un óvulo es _____ grande que un espermatozoide.
7. La _____ vitelina se encoge.
9. Los _____ polares son blancos.
10. Madera cortada
13. Un zigoto es un _____ fecundado.
14. El _____ pacífico nace en agua dulce.
15. La reproducción es una función de _____.
17. Las gallinas _____ huevos.
18. Yo _____ , tú lees, ella lee
19. El mar tiene _____ salada.
23. Un elefante es un _____ .
24. Los machos tienen que _____ los huevos.

VERTICALES

2. Tipo de fecundación de muchos peces
3. Una planta o un animal en desarrollo
4. Metal amarillo
5. El espermatozoide es el gameto _____ .
6. Ovarios son órganos del _____ reproductor.
8. Respuesta negativa
11. Un pez grande puede _____ por su propia cuenta.
12. La masa de huevecillos de un pez
16. Un pececillo muy joven
17. La boca de un pájaro
20. Donde sale una hoja en un árbol
21. La ballena no es un _____ .
22. Una madre de esta especie guarda sus crías en la _____ .

115

CIERTO O FALSO

En los espacios en blanco, escribe "Cierto" si la oración es cierta. Escribe "Falso" si la oración es falsa.

Falso	**1.**	Todos los peces se reproducen de la misma forma.
Cierto	**2.**	La mayoría de los huevecillos de peces se fecundan fuera del cuerpo.
Falso	**3.**	La mayoría de los embriones de peces se desarrollan dentro del cuerpo.
Falso	**4.**	Los machos de peces depositan los huevecillos.
Falso	**5.**	Los machos de peces producen la hueva.
Cierto	**6.**	La hueva es una masa de huevecillos del pez.
Cierto	**7.**	En la lecha hay millones de espermatozoides.
Cierto	**8.**	Un espermatozoide fecunda un óvulo.
Cierto	**9.**	Un pececillo muy joven es un alevín.
Cierto	**10.**	Un pececillo se llama un alevín hasta que se quede agotada la membrana vitelina.

PALABRAS REVUELTAS

A continuación hay varias palabras revueltas que has usado en esta lección. Pon las letras en orden y escribe tus respuestas en los espacios en blanco.

1. ALCHE   LECHA

2. TIZOOG   ZIGOTO

3. AMANBREM   MEMBRANA

4. SADREVO   DESOVAR

5. ALMSNÓ   SALMÓN

AMPLÍA TUS CONOCIMIENTOS

Un pez es un vertebrado. Un vertebrado es un animal que tiene una columna vertebral.

¿Tienes una columna vertebral? ____sí____

¿Eres un vertebrado? ____sí____

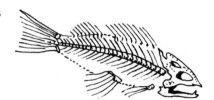

Figura J

¿Cómo se reproducen y se desarrollan las ranas?

18

anfibio: animal que pasa parte de la vida en el agua y parte sobre la tierra
branquias: órganos que absorben el oxígeno disuelto del agua
metamorfosis: cambios durante las etapas del desarrollo de un organismo
renacuajo: etapa temprana de una rana

Una rana es un vertebrado que se llama un **anfibio**. Una rana, igual que todos los anfibios, pasa parte de su vida en el agua y parte sobre la tierra. Su vida de joven se la pasa en el agua. Su vida de adulto se la pasa principalmente sobre la tierra.

Una rana joven sólo puede respirar sumergida en el agua. Una rana adulta puede respirar sobre la tierra y también en el agua. Sobre la tierra, una rana adulta respira por medio de pulmones. Sumergida en el agua, respira a través de la piel.

Las ranas se reproducen en el agua por medio de la fecundación externa. Vamos a ver lo que sucede:

1. La hembra pone centenares, hasta miles, de huevos.

2. El macho expulsa sus espermatozoides al mismo tiempo que se depositan los huevos.

3. Las células de espermatozoides fecundan los óvulos. (Los padres no se quedan con los huevos. Vuelven a la tierra.)

4. Los óvulos fecundados se apiñan y se hinchan mucho. Los rodea un material gelatinoso protector. Luego, siguen la división celular y el crecimiento.

5. Al cabo de unas dos semanas, las crías nacen de los huevos. Una rana recién nacida se llama un **renacuajo.** Un renacuajo está en una etapa muy temprana de una rana. Ni siquiera se parece a una rana.

   Un renacuajo tiene cola pero no tiene patas. Tiene **branquias.** Las branquias son órganos que absorben el oxígeno disuelto que está en el agua. Puede respirar solamente en el agua.

6. Al crecer el renacuajo, su cuerpo se transforma. Se desaparecen la cola y las branquias. Se desarrollan pulmones y cuatro patas. Al cabo de 8 a 12 semanas, el renacuajo se ha convertido en una rana. La rana joven sale del agua y llega a ser un animal de la tierra y del agua.

Del renacuajo a la rana, la forma del cuerpo cambia por completo. El cambio en la forma del cuerpo a que se somete algunos animales a medida que crezcan se llama una **metamorfosis.**

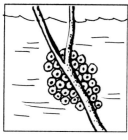

Figura A *Una masa de huevos fecundados*

Una masa de huevos fecundados se parece a la gelatina con manchas blancas y negras. Las manchas negras son zigotos. Las manchas blancas son yemas.

1. ¿Para qué van a servir las yemas? _____ para alimentar _____

2. La fecundación en las ranas es _____ externa _____ .
    interna, externa

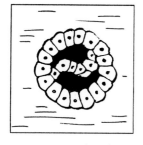

Figura B *Un óvulo fecundado*

3. ¿Cómo se llama un óvulo fecundado? _____ un zigoto _____

4. ¿Qué fecunda el óvulo de rana? _____ un espermatozoide _____

Figura C *El embrión*

5. El zigoto se convierte en un embrión. Para que suceda esto, el zigoto _____ se divide _____ una y otra vez.

Figura D *Una cría de rana recién nacida*

6. ¿Cómo se llama una cría joven de rana? _____ un renacuajo _____

7. Un renacuajo sólo puede vivir _____ en el agua _____ .
    en el agua, sobre la tierra

8. Un renacuajo respira por medio de _____ branquias _____ .
    pulmones, branquias

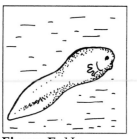

Figura E *Un rena-*
cuajo de tamaño completo

9. a) ¿Cómo ha cambiado el tamaño de la cola?

Ha crecido.

b) ¿Para qué sirve la cola?

Ayuda al renacuajo a nadar.

Figura F *Se forman*
las patas traseras

10. Compara las Figuras D, E y F. ¿Qué está pasando con las

branquias? Están desapareciendo.

11. Qué está desarrollándose adentro que va a reemplazar a las

branquias? pulmones

Figura G *"Brotes"*
para las patas delanteras
empiezan a aparecer

12. Compara las patas traseras de la Figura F con las de la

Figura G. ¿Qué está pasando a las patas traseras?

Se están aumentando.

13. ¿Qué empieza a suceder con el tamaño de la cola? _____

Se está disminuyendo.

Figura H *La rana adulta*

14. Mira la Figura H. ¿Le queda algo de la cola? No

15. ¿Cuántas patas tiene la rana adulta? 4

16. ¿Todavía tiene branquias la rana? No

17. a) ¿Qué utiliza la rana adulta para poder respirar sobre la

tierra? pulmones

b) ¿Qué utiliza la rana adulta para poder respirar sumergida

en el agua? la piel

Las ranas son importantes porque se alimentan de insectos.

Una rana tiene una lengua muy larga y pegajosa. Está enrollada dentro de la boca, pero sale repentinamente como un resorte para coger los insectos.

Figura I

¿Cuánto podrá tener una rana de grande? El tamaño de las ranas varía mucho.

Figura J

Esta joven rana arbórea occidental tiene menos de 2 1/2 cm (una pulgada) de largo.

Aun cuando esté completamente desarrollado, tendrá menos de 5 cm (2 pulgadas) de largo.

Figura K

Una rana toro adulta tiene aproximadamente entre 18 a 20 cm (de 7 a 8 pulgadas) de largo.

COMPLETA LA ORACIÓN

Completa cada oración con una palabra o una frase de la lista de abajo. Escribe tus respuestas en los espacios en blanco. Algunas palabras pueden usarse más de una vez.

externa   cola   anfibio
pulmones   patas   renacuajo
no se parece   vertebrados   metamorfosis
agua   la tierra y el agua branquias

1. Los animales que tienen columnas vertebrales se llaman __vertebrados__ .

2. Una rana es un tipo especial de vertebrado que se llama __anfibio__ .

3. Un anfibio pasa la vida de joven en el __agua__ y su vida adulta en __la tierra y el agua__ .

4. Las ranas se reproducen en el __agua__ .

5. Las ranas se reproducen por la fecundación __externa__ .

6. Una cría de rana muy joven se llama un __renacuajo__ .

7. Un renacuajo __no se parece__ a una rana.

8. Un renacuajo tiene __cola__ y __branquias__ .

9. Un renacuajo no tiene __patas__ ni __pulmones__ .

10. Un cambio en la forma del cuerpo que sucede a algunos animales a medida que crezcan es la __metamorfosis__ .

Examina las etapas en el ciclo vital de la rana en la Figura L. Indica el orden correcto del desarrollo al escribir las letras de A a F en los espacios en blanco.

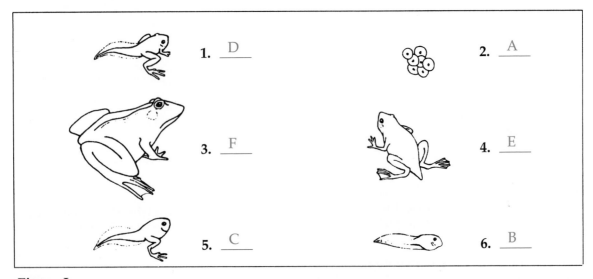

1. __D__   2. __A__

3. __F__   4. __E__

5. __C__   6. __B__

Figura L

HACER CORRESPONDENCIAS

Empareja cada término de la Columna A con su descripción en la Columna B. Escribe la letra correcta en el espacio en blanco.

	Columna A		**Columna B**
d	1. una rana	a)	cría joven de rana
a	2. un renacuajo	b)	para respirar sobre la tierra
e	3. las branquias	c)	cambio completo en la forma del cuerpo
b	4. los pulmones	d)	vive sobre la tierra y en el agua
c	5. la metamorfosis	e)	para respirar en el agua

BUSCA LAS PALABRAS

En la lista de la izquierda hay palabras que has usado en esta lección. Búscalas y traza un círculo alrededor de cada palabra que hallas en la caja. El deletreo de las palabras puede estar hacia arriba, hacia abajo, hacia la izquierda, hacia la derecha o diagonalmente.

METAMORFOSIS

RENACUAJO

ZIGOTO

BRANQUIAS

RANA

PULMONES

ÓVULO

VERTEBRADO

P	S	Í	L	Z	I	G	O	T	O	P	E	B
A	H	I	E	O	S	G	E	M	U	V	R	D
R	U	É	S	R	Ó	Ó	X	L	M	A	O	A
Z	V	L	L	O	N	V	M	Y	N	B	J	T
O	E	T	F	A	F	O	U	Q	S	O	Í	P
B	R	N	O	G	N	R	U	L	J	L	N	U
R	T	C	R	E	H	I	O	A	O	S	E	Z
I	E	U	S	Q	A	Á	U	M	V	T	R	M
E	B	J	M	S	F	C	R	Ñ	A	O	L	O
U	R	S	E	C	A	H	T	A	R	T	G	R
P	A	T	T	N	T	A	R	J	N	X	E	I
L	D	R	E	B	E	N	E	U	T	A	I	M
Ú	O	R	P	A	M	I	N	Q	U	Z	C	E

CIERTO O FALSO

En los espacios en blanco, escribe "Cierto" si la oración es cierta. Escribe "Falso" si la oración es falsa.

Cierto	**1.**	Las ranas tienen columnas vertebrales.
Falso	**2.**	Los óvulos de rana se fecundan dentro del cuerpo de la hembra.
Falso	**3.**	Las ranas se reproducen en la tierra.
Falso	**4.**	La rana hembra protege sus huevos fecundados.
Falso	**5.**	Una cría joven de rana se llama un alevín.
Cierto	**6.**	Los renacuajos sólo respiran en el agua.
Cierto	**7.**	Un renacuajo tiene branquias y una cola.
Falso	**8.**	Una rana tiene branquias y una cola.
Cierto	**9.**	Una rana puede respirar sobre la tierra y en el agua.
Cierto	**10.**	Una rana puede respirar a través de la piel.

AMPLÍA TUS CONOCIMIENTOS

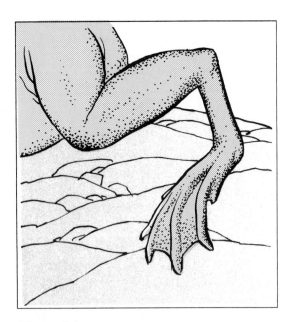

Figura M

Las patas traseras de una rana son muy poderosas. También son palmeadas.

1. ¿Cuáles son <u>dos</u> cosas importantes que hace una rana con las patas traseras?

nadar y saltar

2. ¿Qué le ayudan las patas palmeadas a la rana a hacer?

nadar

3. ¿Se ponen las personas algunas cosas que se parecen a patas palmeadas?

sí

4. ¿Cuándo se las ponen y por qué?

Las personas se ponen aletas para el

buceo para ayudarlas a nadar.

¿Qué es la meiosis?

19

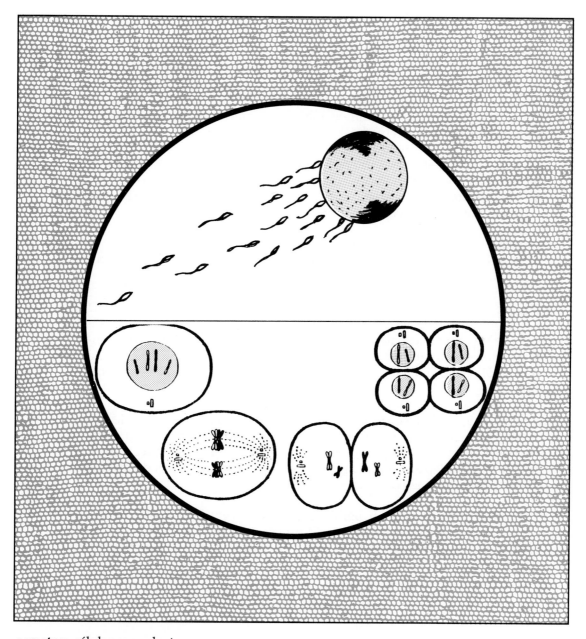

gametos: células reproductoras
meiosis: proceso por el cual se forman los gametos

LECCIÓN 19 | ¿Qué es la meiosis?

En la reproducción asexual hay solamente <u>un</u> padre, o sea, <u>una</u> madre, y solamente <u>un</u> conjunto de cromosomas. Los cromosomas se duplican. La progenie es idéntica a la madre.

La reproducción sexual es diferente. En la reproducción sexual, hay <u>dos</u> padres y hay <u>dos</u> conjuntos de cromosomas. Se forma un nuevo organismo con un conjunto de cromosomas de cada padre. La progenie hereda o recibe caracteres de los dos padres.

Piensa en ti mismo, por ejemplo. De algunas formas te pareces a tu madre. De otras formas te pareces a tu padre. Tienes caracteres hereditarios de los dos padres.

¿Cómo se intercambian los cromosomas durante la reproducción sexual? Los cromosomas de las células corporales están en parejas. Los cromosomas de las células sexuales no están en parejas. Los cromosomas de células sexuales son simples. Así que una célula de espermatozoide o de óvulo sólo tiene la mitad del número de cromosomas que una célula corporal.

Cuando suceda la fecundación, los cromosomas del espermatozoide se unen a los cromosomas del óvulo. Juntos, llegan a formar el número total de cromosomas que se encuentran en las células corporales. El óvulo fecundado, o sea, el zigoto, ahora tiene cromosomas de los dos padres. Tiene también caracteres de los dos padres.

Las células reproductoras se llaman **gametos**. Los gametos se desarrollan de células especiales en el cuerpo. El proceso por el cual los gametos se forman se llama la **meiosis**. Puedes ver el proceso de meiosis en la página siguiente.

1. La célula original con dos pares de cromosomas.

 2. Cada par de cromosomas se dobla.

 3. Las fibras axiales se forman en la célula. Los pares de cromosomas se adhieren a las fibras axiales.

 4. Los cromosomas se separan.

  5. La célula se divide en dos. Cada célula contiene un cromosoma doblado de cada pareja.

  6. Las fibras axiales se forman en cada célula nueva. Los cromosomas doblados se adhieren a las fibras axiales.

  7. Los cromosomas doblados se dividen. Un cromosoma va a cada lado de la célula. Luego, cada célula se divide.

    8. Así se producen cuatro células. Cada célula tiene un cromosoma de cada pareja de cromosomas.

Figura A

Las células corporales se producen por medio de la mitosis. Pero las células de espermatozoides y de óvulos no se producen de esta forma. Las células reproductoras se forman por medio de la meiosis. Cada gameto solamente tiene la <u>mitad</u> del número regular de cromosomas. Pero al unirse el espermatozoide y el óvulo, el zigoto tiene el número completo de cromosomas.

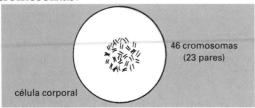

Una célula corporal humana tiene *46* cromosomas. Los cromosomas están en parejas. Así que hay *23* pares de cromosomas.

Figura B

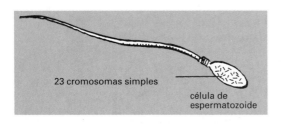

Cada célula de espermatozoide humana tiene 23 cromosomas simples.

Figura C

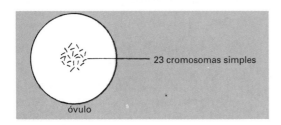

Cada célula de óvulo humana tiene 23 cromosomas simples.

Figura D

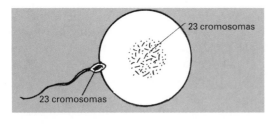

Por medio de fecundación, se unen los cromosomas de los gametos.

Figura E

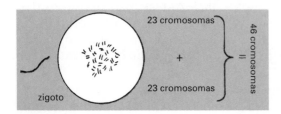

Entonces, el zigoto tiene un total de 46 cromosomas: 23 son de la madre y 23 son del padre.

El zigoto empieza a dividirse después de la fecundación. Se divide por medio de la mitosis. Se divide una y otra vez a medida que se desarrolla.

Figura F

CIERTO O FALSO

En los espacios en blanco, escribe "Cierto" si la oración es cierta. Escribe "Falso" si la oración es falsa.

Cierto	**1.**	Los cromosomas de células corporales están en parejas.
Cierto	**2.**	El proceso por el cual se forman los gametos es la meiosis.
Falso	**3.**	Una célula corporal humana tiene 23 cromosomas.
Falso	**4.**	Mediante la reproducción sexual, la progenie hereda caracteres de sólo uno de los padres.
Cierto	**5.**	Al fecundarse, se unen los cromosomas de los gametos.
Falso	**6.**	Todos los organismos tienen el mismo número de cromosomas.
Cierto	**7.**	Las fibras axiales se forman dos veces durante la meiosis.
Falso	**8.**	Un gameto tiene el mismo número de cromosomas que una célula corporal.
Falso	**9.**	Un gameto tiene el doble del número de cromosomas de una célula corporal.
Cierto	**10.**	Un gameto de rana tiene 13 cromosomas. Entonces, cada célula corporal de rana tiene 26 cromosomas.

COMPLETA LA ORACIÓN

Completa cada oración con una palabra o una frase de la lista de abajo. Escribe tus respuestas en los espacios en blanco.

un conjunto	madre	idéntica
la mitad	caracteres	en parejas
dos		meiosis

1. En la reproducción asexual, solamente hay una __madre__.

2. En la reproducción asexual, __un conjunto__ de cromosomas se pasan de la madre a la progenie.

3. En la reproducción asexual, la progenie es __idéntica__ a la madre.

4. En la reproducción sexual, hay __dos__ padres. La progenie hereda __caracteres__ de los dos padres.

5. Las células de gametos se producen por la división celular que se llama __meiosis__.

6. Una célula de espermatozoide o de óvulo sólo tiene __la mitad__ del número de cromosomas de una célula corporal.

7. Los cromosomas de una célula corporal están __en parejas__.

Los científicos suelen estudiar las moscas de la fruta porque tienen un gran número de cromosomas que son fáciles de contar.

- Cada célula corporal de una mosca de la fruta tiene 8 cromosomas.
- Cada gameto (espermatozoide u óvulo) de la mosca de la fruta tiene 4 cromosomas.

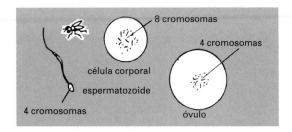

Figura G

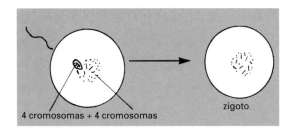

Figura H *Un espermatozoide fecunda un óvulo.*

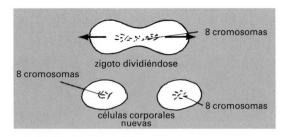

Figura I *El zigoto se divide. Luego, cada célula nueva se divide.*

1. Las células corporales se reproducen mediante el proceso que se llama la ___mitosis___ .

2. Las células de gametos se reproducen mediante el proceso que se llama la ___meiosis___ .

3. **a)** ¿Cuántos cromosomas hay en la célula de óvulo de una mosca de la fruta? ___4___

   b) ¿En las células de espermatozoides?
   ___4___

4. ¿Qué es lo que controlan los cromosomas?___los caracteres___

5. ¿Cuántos cromosomas tiene un zigoto de una mosca de la fruta? ___8___

6. ¿Cuántos cromosomas tendrá cada célula corporal?___8___

7. La progenie tendrá los caracteres de la madre y del padre. ¿Por qué? ___Sus cromosomas se unen al fecundarse.___

AMPLÍA TUS CONOCIMIENTOS

¿Por qué es necesario que un gameto tenga sólo la mitad del número de cromosomas que tienen las células corporales?

Para que se restablezca el número original de cromosomas al suceder la fecundación.

De otro modo, el zigoto tendría el doble del número de cromosomas que tienen las

células corporales.

¿Cómo se clasifican los seres vivos?

20

género: grupo de clasificación formado por especies relacionadas
reino: grupo de clasificación más grande
filo: grupo de clasificación formado por clases relacionadas
especie: grupo de organismos que se parecen y que pueden reproducirse entre sí
taxonomía: ciencia de clasificar los seres vivos

LECCIÓN 20 | ¿Cómo se clasifican los seres vivos?

¿Cuántos tipos diferentes de plantas y de animales puedes nombrar? ¿Veinte? ¿Treinta?... ¿Cincuenta? Quizá te cuesta creerlo, pero compartimos este planeta con millones de diferentes tipos de organismos. Hasta ahora, se han identificado aproximadamente un millón y medio de organismos distintos. Además, se descubren otros seis mil cada año. Algunos científicos creen que el número llega a ser más de 10,000,000.

¿Cómo nos mantenemos al tanto de este número tan grande de diversos organismos? Los biólogos clasifican los seres vivos en grupos. Los miembros que pertenecen al mismo grupo se parecen de ciertas formas importantes. La ciencia de clasificar los seres vivos se llama la **taxonomía**.

Carl von Linneo formuló un sistema clasificador en 1735. A Linneo se le considera el fundador de la taxonomía moderna. Agrupó los organismos de acuerdo con la forma en que se parecían. Los organismos que tenían aspectos semejantes se agruparon. Hoy en día, consideramos otros elementos también, tales como la estructura de las células, la composición química, los antepasados y la forma en que se desarrolla un organismo antes de nacer.

GRUPOS DE CLASIFICACIÓN   Hoy se clasifican los seres vivos en siete grupos principales de clasificación. Los organismos que se clasifican en el mismo grupo son similares de algunas maneras. Por más que se parezcan los organismos, más grupos comparten.

El grupo de clasificación más grande es el **reino**. Un reino abarca el número más grande de organismos diferentes. Los miembros de un reino comparten solamente unos pocos caracteres o características. En realidad, los miembros del mismo reino pueden no parecerse de forma alguna. Considera la pulga y el elefante como ejemplos. ¿Se parecen? ¡Claro que no! Sin embargo, pertenecen al mismo reino.

Luego se divide cada reino en grupos cada vez más pequeños. Son el **filo**, la clase, el orden, la familia, el **género**, y la **especie**. Al hacerse más pequeños los grupos, más se parecen los miembros.

Piensa en el sistema de la clasificación como una pirámide que está al revés. El reino es la parte más grande. Abarca más espacio, así que en él puede caber el mayor número de organismos: todas las plantas o todos los animales o todos los protistas.

A medida que se baja por la pirámide, ves que cada "cuarto" es más pequeño que el anterior. En ello pueden caber cada vez menos miembros; sin embargo, estos miembros tienen más caracteres en común. Empiezan a parecerse más.

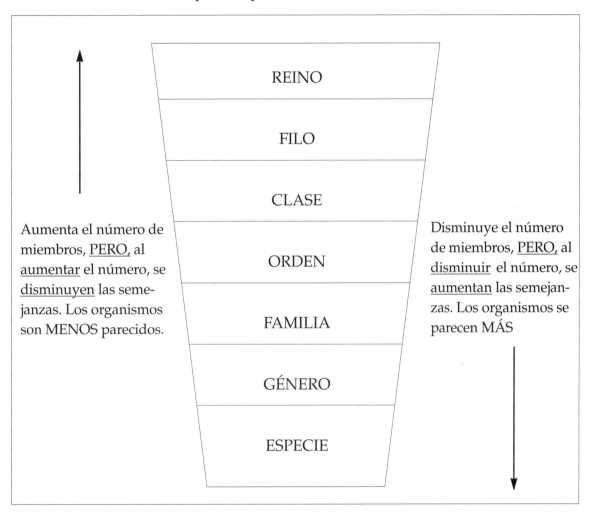

Figura A

La especie ocupa el lugar más pequeño de la pirámide de la clasificación. Sólo tiene suficiente espacio para un tipo de organismo: sólo los seres humanos o sólo los olmos o sólo los petirrojos.

Los que pertenecen a una especie en particular se parecen mucho. Los organismos de la misma especie se parecen y pueden reproducirse entre sí... ¿Hay algunas diferencias? ¡Claro que sí! Pero generalmente son diferencias individuales, como las diferencias entre dos personas o entre dos olmos o entre dos petirrojos.

Figura B

Algunos organismos, como los perros y los gatos, se clasifican en un grupo aún más pequeño: la raza. Pero, sin hacer caso de la raza, todos los perros pertenecen a una especie. Todos los gatos pertenecen a otra especie.

EN BUSCA DE LAS SEMEJANZAS

Un miembro de un grupo de clasificación en particular tiene caracteres que son iguales a...

* todos los miembros de su propio grupo y
* todos los miembros de los grupos más grandes de clasificación.

Por ejemplo: Un miembro de un filo en particular tiene caracteres que se parecen a...

* todos los miembros de ese filo y
* todos los miembros de su reino.

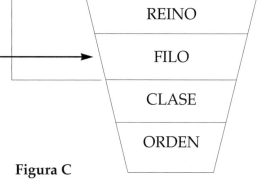

Figura C

Utiliza las Figuras A y C para ayudarte a contestar estas preguntas.

GRUPO DE CLASIFICACIÓN	COMPARTE ALGUNAS CARACTERÍSTICAS CON ESTOS GRUPOS
1. a. un miembro de una <u>clase</u>	todos los miembros de su clase, filo y reino
b. un miembro de un <u>orden</u>	todos los miembros de su orden, clase, filo y reino
c. un miembro de una <u>especie</u>	todos los miembros de su especie, género, familia, orden, clase, filo y reino.

2. ¿Cuáles se parecen más?

    a. ¿los miembros de un orden o los miembros de una familia? <u>los de una familia</u>

    b. ¿los miembros de un orden o los miembros de un filo? <u>los de un orden</u>

3. ¿Cuál tiene más miembros?

    a. ¿un filo o una familia? <u>un filo</u>

    b. ¿un género o una familia? <u>una familia</u>

4. ¿Cuál tiene menos miembros?

    a. ¿una familia o un género? <u>un género</u>

    b. ¿un orden o un filo? <u>un orden</u>

5.   **a.** ¿Cuál de los grupos tiene el mayor número de miembros? <u>el reino</u>

    b. ¿Cuál de los grupos tiene el menor número de miembros? <u>la especie</u>

Estudia la tabla de clasificación para cuatro organismos. Contesta las preguntas en los espacios en blanco.

Tabla 1 Clasificación de organismos

	Diente de león	Perro	Lobo	Ser humano
Reino	Plantae	Animalia	Animalia	Animalia
Filo	Tracheophyta	Chordata	Chordata	Chordata
Clase	Angiospermae	Mammalia	Mammalia	Mammalia
Orden	Asterales	Carnivora	Carnivora	Primates
Familia	Compositae	Canidae	Canidae	Hominidae
Género	*Taraxacum*	*Canis*	*Canis*	*Homo*
Especie	*officinale*	*familiaris*	*lupus*	*sapiens*

6. ¿Cuántos grupos comparten los lobos y los seres humanos? <u>3</u>

7. ¿Cuántos grupos comparten los lobos y los perros? <u>6</u>

8. **a.** ¿Cuáles son los dos organismos que más se parecen? <u>los lobos y los perros</u>

    b. ¿Cómo lo sabes? <u>Comparten el mayor número de grupos de clasificación.</u>

9. **a.** ¿Cuál de los organismos se parece menos a los otros tres? <u>el diente de león</u>

    b. ¿Cómo lo sabes? <u>Ni siquiera pertenece al mismo reino.</u>

10. ¿En qué reino se clasifica el diente de león? <u>el reino Plantae</u>

NOMBRANDO LOS ORGANISMOS

Carl von Linneo formuló un sistema de clasificación. También formuló un sistema para nombrar los organismos que todavía se usa hoy. Su sistema se llama la nomenclatura binomia. Mediante este sistema, cada tipo de organismo tiene un nombre científico de dos partes. La primera parte es el nombre del género en que se clasifica el organismo. La segunda parte es el nombre de la especie. Por ejemplo, el nombre científico de un perro es *Canis familiaris*. (Mira la Tabla 1.) Cuando se escribe un nombre científico, el nombre del género se subraya o se imprime en letra bastardilla.

Contesta las siguientes preguntas sobre los nombres científicos. Puedes referirte a la Tabla 1 para contestar algunas de las preguntas.

1. ¿Cuáles son las dos partes de un nombre científico?

los nombres del género y de la especie

2. a. ¿Cómo se llama el sistema que se usa hoy para nombrar los organismos?

la nomenclatura binomia

b. ¿Quién formuló este sistema? Linneo

3. a. ¿Cuál es el nombre científico para los seres humanos? *Homo sapiens*

b. ¿Cuál es el nombre científico para los lobos? *Canis lupus*

c. ¿Cuál es el nombre científico para el diente de león? *Taraxacum officinale*

4. ¿Por qué usan los científicos los nombres científicos? para evitar la confusión que

resulta de usar los nombres corrientes; para tener un nombre universal

5. ¿Qué está mal con la forma en que se escribió este nombre científico: *canis Familiaris*?

El nombre del género se escribe con mayúscula, pero no el nombre de la especie.

En una época todos los organismos se clasificaron o en el reino de las plantas o en el reino de los animales. Ahora, la mayoría de los científicos aceptan el sistema de clasificación de los cinco reinos.

He aquí una descripción de los cinco reinos.

Reino de bacterias

Son organismos de una sola célula. No se parecen a ninguno de los miembros de los otros reinos porque no tienen núcleo.

Reino de protistas

Incluye muchos tipos diferentes de organismos. La mayoría de los protistas son de una sola célula. Algunos son organismos simples de muchas células. Algunos se parecen a plantas. Otros se parecen a animales. Las algas son un ejemplo de protistas.

Reino de hongos

¿Te gustan los champiñones? Los champiñones son un tipo de hongo. La mayoría de los hongos se forman por muchas células. Algunos sólo tienen una célula. Los hongos absorben alimentos de su medio ambiente.

Reino de plantas

Las plantas tienen muchas células. Las células vegetales (de plantas) tienen una pared celular y contienen clorofila para fabricar sus propios alimentos.

Reino de animales

Probablemente conoces mejor los miembros del reino animal. Los animales se forman por muchas células. Toman alimentos por fuera del cuerpo.

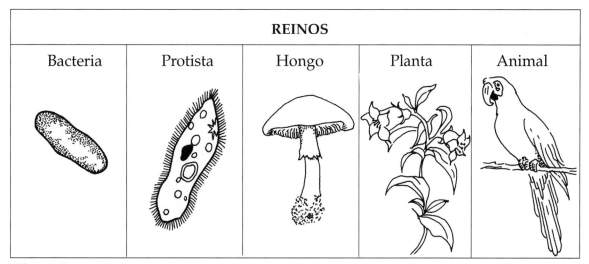

Figura D

COMPLETA LA ORACIÓN

Completa cada oración con una palabra o una frase de la lista de abajo. Escribe tus respuestas en los espacios en blanco. Algunas palabras pueden usarse más de una vez.

de una célula	bacterias	muchas
núcleo	clorofila	hongos
cinco	absorben	fuera

1. La mayoría de los científicos aceptan el sistema de clasificación de ___cinco___ reinos.

2. Las plantas tienen ___muchas___ células.

3. Los hongos ___absorben___ alimentos de su medio ambiente.

4. Todas las ___bacterias___ tienen una sola célula.

5. Los animales toman alimentos por ___fuera___ del cuerpo.

6. Los champiñones son un tipo de ___hongos___ .

7. La mayoría de los protistas son ___de una célula___ .

8. Las plantas usan ___clorofila___ para fabricar sus propios alimentos.

9. Los animales tienen ___muchas___ células.

10. Las bacterias no tienen ___núcleo___ .

HACER CORRESPONDENCIAS

Empareja cada término de la Columna A con su descripción en la Columna B. Escribe la letra correcta en el espacio en blanco.

	Columna A		Columna B
__d__	1. las bacterias	**a)**	un ejemplo de protistas
__e__	2. un champiñón	**b)**	todos tienen muchas células y toman alimentos por fuera del cuerpo
__b__	3. los animales	**c)**	todas tienen muchas células y fabrican sus propios alimentos
__a__	4. las algas	**d)**	todas tienen una sola célula
__c__	5. las plantas	**e)**	un tipo de hongos

¿Qué son las bacterias?

21

bacilo: bacteria que tiene forma de bastoncillo
coco: bacteria esférica
flagelos: estructuras como pelos que las bacterias usan para moverse
bacterias: organismos de una célula que no tienen núcleo
espirilo: bacteria que tiene forma de espiral

Las **bacterias** son organismos de una sola célula. Las bacterias figuran entre los seres vivos más pequeños y más simples. Sabemos que son seres vivos porque realizan todos los procesos de vida.

Fíjate en el punto al final de esta oración. ¿Cuántas bacterias crees que pueden caber encima del punto? ¿Creerías entre cincuenta mil y un cuarto de un <u>millón</u>?

Las células bacterianas son únicas. Es decir, son <u>muy</u> raras. Las bacterias no tienen núcleo definido. La sustancia química que generalmente forma un núcleo está esparcida a través del citoplasma. Además, de las otras partes que se encuentran en la mayoría de las otras células, las bacterias sólo tienen algunas.

¿Cuáles son las partes de una célula bacteriana? Las bacterias consisten en el citoplasma y una membrana celular. Las bacterias también tienen una pared celular. De esta forma, se parecen a las plantas.

La mayoría de las bacterias no pueden moverse por sí solas. Se las lleva el viento o algún líquido que se mueve. Algunas bacterias, sin embargo, sí pueden moverse por sí solas. Éstas emplean estructuras como pelos que se llaman **flagelos** para moverse en líquidos.

Todas las bacterias necesitan agua y una temperatura propicia. La mayoría de las bacterias también necesitan oxígeno. Algunas pueden vivir sin oxígeno. La mayoría de las bacterias se alimentan de los restos de plantas y animales muertos.

Las bacterias se encuentran por todas partes. Viven en los océanos, en el aire y en la tierra. Están en el agua que bebes y en los alimentos que comes. Las bacterias cubren tu piel. ¡Aun tienes bacterias que viven en la boca, en la sangre y en los intestinos!

LOS TIPOS DE BACTERIAS

Las **bacterias** se encuentran en tres formas básicas. Pueden ser esféricas (redondas), en forma de bastoncillo o en forma de espiral. Una bacteria redonda se llama un **coco.** Una bacteria que tiene forma de bastoncillo se llama un **bacilo.** Una bacteria que tiene forma de espiral se llama un **espirilo.** Algunos cocos forman pares y cadenas. Otros crecen en racimos como las uvas. Algunos bacilos también forman pares y cadenas. Pero no forman racimos. Los espirilos sólo viven como células solitarias.

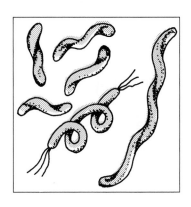

Figura A

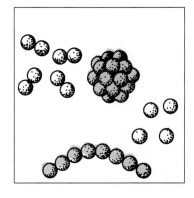

Figura B

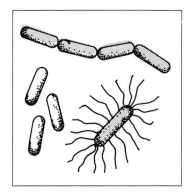

Figura C

Mira las Figuras A, B y C. Usa las letras para contestar las siguientes preguntas.

1. ¿Cuál de las figuras muestra   **a)** un coco?   _____B_____

                             b) un espirilo? _____A_____

                             c) un bacilo? _____C_____

2. Una de las bacterias puede mover por sí sola.

     a) ¿Cuál es? ___la bacteria con flagelos_____

     b) Haz un dibujo de esta bacteria en el espacio de abajo.

> Revise los dibujos de los estudiantes.

3. **a)** ¿Cuál de las figuras muestra bacterias que viven <u>solamente</u> como células solitarias?
      ___A___

     b) ¿Cuál de las figuras muestra bacterias que crecen en grupos como racimos? ___B___

     c) ¿Qué tipos de bacterias pueden formar pares y cadenas? ___los cocos y los bacilos___

Por muchas razones las bacterias son importantes.

Figura D *Se usan las bacterias para hacer ciertos alimentos. Algunas se usan para hacer queso, yogur, vinagre y sauerkraut.*

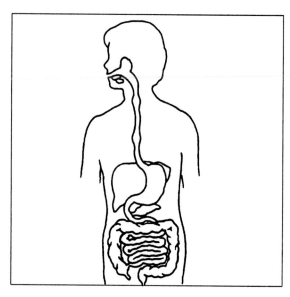

Figura E *¡Tienes bacterias que viven en tu aparato digestivo! Estas bacterias te ayudan a digerir los alimentos. Algunas también producen la vitamina K.*

Figura F *¡Algunas bacterias son "las fábricas de reciclaje" de la naturaleza! Éstas descomponen los restos de organismos muertos. Cuando se muere una planta o un animal, las bacterias de la descomposición se alimentan del organismo y luego descomponen este alimento en sustancias simples como el carbono. Estas sustancias las usan otros seres vivos como nutrimentos.*

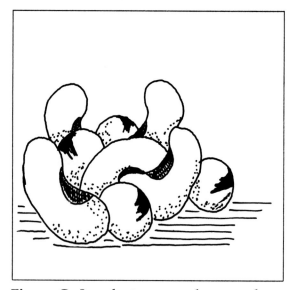

Figura G *Las plantas no pueden usar el gas de nitrógeno directamente. Las bacterias en la tierra y en las raíces de algunas plantas transforman el nitrógeno del aire en una forma que las plantas pueden utilizar. Los animales adquieren el nitrógeno que necesitan cuando se comen las plantas.*

Acabas de aprender que las bacterias nos pueden ayudar. Claro que pueden ser dañinas también. Algunas bacterias causan enfermedades en las plantas y los animales. Las bacterias también hacen que los alimentos se pudran.

Figura H *La comida pudrida*

Las bacterias hacen que los alimentos se pudran. Los alimentos que se pudren fácilmente por las bacterias son el pescado, la leche, las frutas y las verduras.

Figura I *Una planta enferma*

Algunas bacterias causan abultamientos como tumores en las plantas. Cada año se pierden millones de dólares debido a los daños a las cosechas que ocasionan las enfermedades bacterianas.

Figura J *Las bacterias causan enfermedades también.*

Las bacterias causan muchas enfermedades en las personas. Algunas de las enfermedades causadas por las bacterias son el botulismo, la tuberculosis, el estreptococo, el cólera, la pulmonía, el envenenamiento de alimentos, el tétanos, la difteria y la meningitis.

LAS BACTERIAS QUE AYUDAN Y QUE HACEN DAÑO

Completa la tabla al escribir para cada ejemplo una forma en que las bacterias ayudan y hacen daño.

Las bacterias que ayudan y que hacen daño

	EJEMPLO	AYUDAN	HACEN DAÑO
1.	Humanos	ayudan a digerir la comida; producen la vitamina K	causan enfermedades
2.	Plantas	transforman el nitrógeno en una forma que las plantas pueden utilizar; descomponen los organismos muertos	causan enfermedades
3.	Alimentos	se usan para hacer alimentos como el queso y el yogur	hacen que los alimentos se pudran

CIERTO O FALSO

En los espacios en blanco, escribe "Cierto" si la oración es cierta. Escribe "Falso" si la oración es falsa.

Cierto	**1.**	Los alimentos que las bacterias pueden pudrir fácilmente incluyen el pescado y la leche.
Falso	**2.**	Algunos epirilos forman cadenas.
Cierto	**3.**	Algunas bacterias pueden vivir sin oxígeno.
Cierto	**4.**	La mayoría de las bacterias no pueden moverse por sí solas.
Falso	**5.**	Todas las bacterias son dañinas.
Cierto	**6.**	Las células bacterianas tienen una pared celular.
Falso	**7.**	Las plantas pueden utilizar el nitrógeno directamente.
Falso	**8.**	Los cocos son bacterias que tienen forma de bastoncillo.
Falso	**9.**	Las bacterias tienen muchas células.
Cierto	**10.**	Algunas bacterias viven en tu aparato digestivo.

Una sola bacteria y los grupos de bacterias son <u>microscópicos.</u> Necesitas usar un microscopio para poder verlas. Sin embargo, con las condiciones propicias para el crecimiento, las bacterias forman <u>colonias.</u> Puedes ver colonias grandes de bacterias sin ayuda. Puedes cultivar bacterias en una gelatina especial que se llama el agar-agar. El agar-agar es una fuente alimenticia para las bacterias.

Lo que necesitas (los materiales)

- el agar-agar esterilizado en 3 platos de laboratorio esterilizados

- un lápiz engrasador

Cómo hacer el experimento (el procedimiento)

1. Marca con números del 1 al 3 a cada plato de laboratorio en el fondo. Haz anotaciones de todo lo que haces con cada plato de laboratorio.

Figura K

2. Plato N.° 1: Destapa el plato rápidamente y echa polvo o tierra fina sobre el plato. Tapa el plato rápidamente.

   Plato N.° 2: Destapa el plato rápidamente. Espera unos segundos y vuelve a taparlo.

   Plato N.° 3: No hagas nada. Es muy importante que no destapes el plato.

3. Pon los 3 platos en un lugar oscuro y caliente. Al cabo de 2 días, examina cada plato de laboratorio.

Lo que aprendiste (las observaciones)

1. ¿Cuáles de los platos tenían señales del crecimiento de bacterias? _Las respuestas_ _variarán; los platos 1 y 2 pueden tener algún crecimiento._

2. ¿Cuál de los platos no tenía ninguna señal del crecimiento de bacterias? _N.° 3_

Algo en que pensar (las conclusiones)

1. ¿Por qué no había ningún crecimiento en el plato N.°3? _No se permitieron entrar las_ _bacterias en el plato esterilizado._

2. ¿Por qué crecen las bacterias en el agar-agar? _Tiene buenas condiciones para el_ _crecimiento de bacterias, incluso alimentos._

COMPLETA LA ORACIÓN

Completa cada oración con una palabra o una frase de la lista de abajo. Escribe tus respuestas en los espacios en blanco.

espiral
descomponer los organismos muertos
pares y cadenas
cocos
espirilos

bacterias
enfermedades
núcleo
esférica
flagelos

bastoncillo
agua y una temperatura propicia
bacilos
procesos de vida

1. Algunos cocos forman __pares y cadenas__ .

2. Algunas bacterias usan __flagelos__ para moverse.

3. Las bacterias llevan a cabo todos los __procesos de vida__ .

4. Las bacterias no tienen __núcleo__ verdadero.

5. Los bacilos pertenecen al reino de __bacterias__ .

6. Todas las bacterias necesitan __agua y una temperatura propicia__ .

7. Las tres formas de bacterias son __esférica__ , de __espiral__ y de __bastoncillo__ .

8. Las bacterias esféricas se llaman __cocos__ . Las de forma de bastoncillo se llaman __bacilos__ . Las bacterias de forma espiral se llaman __espirilos__ .

9. Las bacterias pueden causar __enfermedades__ en los humanos, las plantas y los animales.

10. Las bacterias nos ayudan al __descomponer los organismos muertos__ .

AMPLÍA TUS CONOCIMIENTOS

Algunas bacterias raras que se llaman bacterias verdes-azules pueden fabricar sus propios alimentos. Las bacterias verdes-azules contienen la sustancia verde de clorofila. La clorofila se necesita para que estas bacterias puedan producir sus alimentos. ¿En qué se parecen estas bacterias a las plantas?

Tanto las plantas como las bacterias verdes-azules contienen la clorofila y pueden fabricar

sus propios alimentos.

¿Qué son los protistas?

22

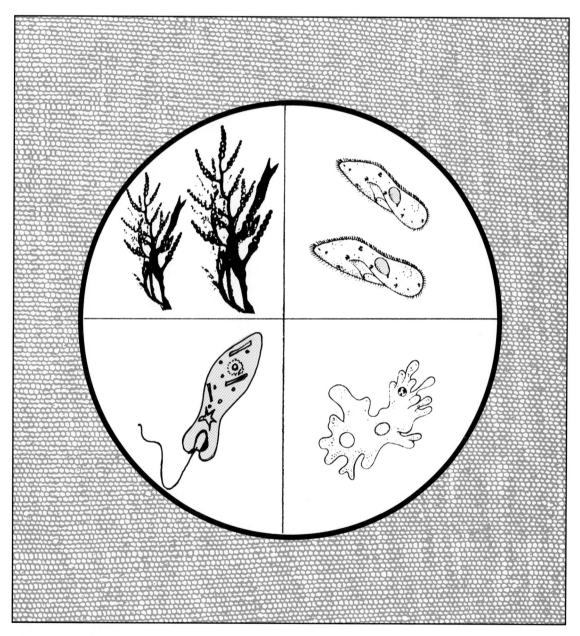

algas: grupo de protistas que se parecen a plantas en que pueden fabricar sus propios alimentos
protistas: organismos simples que tienen un núcleo verdadero
protozoos: protistas de una célula que se parecen a animales en que no pueden fabricar sus propios alimentos
mohos viscosos: protistas que tienen dos etapas de vida

Los protistas forman un reino de organismos muy simples. La mayoría de los **protistas** consisten en una sola célula. Algunos tienen muchas células. A diferencia de las bacterias, todos los protistas tienen núcleo.

La mayoría de los protistas viven en el agua. Viven en los lagos, los arroyos, las charcas y en el océano. Algunos viven en la tierra húmeda. Hasta algunos viven en los cuerpos de animales.

Hay tres grupos grandes de protistas. Los tres grupos son los **protozoos,** las **algas** y los **mohos viscosos.**

- **LOS PROTOZOOS** son organismos, como animales, de una célula. Se parecen a los animales en que no pueden fabricar sus propios alimentos. La mayoría de los protozoos pueden moverse por sí solos en busca de alimentación. Los protozoos no tienen pared celular.

- **LAS ALGAS** son organismos simples, como plantas. La mayoría de las algas solamente tienen una célula. Sin embargo, algunas algas tienen muchas células y llegan a ser muy grandes.

  Todas las algas tienen clorofila. Como las plantas, las algas pueden fabricar sus propios alimentos. Pero, las algas no tienen las partes especiales que tienen la mayoría de las plantas.

- **LOS MOHOS VISCOSOS** son organismos simples que tienen dos etapas de vida. Durante una etapa, los mohos viscosos se parecen a los hongos. Pero hay diferencias importantes entre los ciclos vitales de los mohos viscosos y los hongos. Por esta razón, los mohos viscosos se agrupan ahora con los protistas. Los mohos viscosos no fabrican sus propios alimentos.

LOS PROTOZOOS

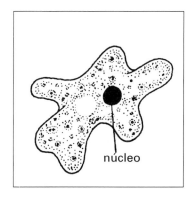

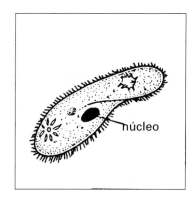

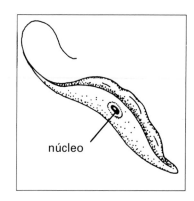

Figura A *ameba*   **Figura B** *paramecio*   **Figura C** *tripanosoma*

Se muestran arriba tres protozoos comunes. Usa las figuras y lo que has leído sobre los protistas para contestar las siguientes preguntas.

1. Los protozoos son organismos de _____una célula_____ .
   una célula, muchas células

2. ¿Fabrican sus propios alimentos los protozoos? _____no_____
   sí, no

3. ¿Pueden moverse por sí solos los protozoos? _____sí_____
   sí, no

4. ¿Tienen pared celular los protozoos? _____no_____
   sí, no

5. Examina cada núcleo con atención. El núcleo de un protozoo

   a) tiene una membrana que lo rodea. _____sí_____
      sí, no

   b) está esparcido en el citoplasma. _____no_____
      sí, no

LAS ALGAS

Todas las algas tienen clorofila. Sin embargo, no todas las algas son verdes. Las algas también contienen otras sustancias que les dan diferentes colores. Algunas algas sí son verdes. Otras son rojas, marrones o marrones dorados. Se encuentran las algas en muchos lugares "aguados"...

- Puedes haber visto las algas como el verdín encima de una charca o un lago tranquilos.

- La "pelusa" verde encima de algunas rocas se forma por las algas. No camines sobre las rocas cubiertas de algas. Son muy resbalosas.

- ¿Has visto alguna vez el agua verde en una alberca o piscina? Las algas hacen que el agua se ponga verde. En algunas piscinas, las algas causan un verdadero problema.

- La mayoría de las algas se encuentran en el océano. ¿Has visto alguna vez las algas marinas en la playa? Alga marina es otra manera de decir alga marrón.

¿Son importantes las algas? Sí, son tan importantes como la vida misma... La mayor parte del oxígeno que aspiramos lo fabrican las algas de una célula que se encuentran cerca de la superficie de las aguas.

Figura D

Contesta las siguientes preguntas.

1. ¿Qué es la sustancia que tienen todas las algas que las permite fabricar sus propios alimentos? ___clorofila___

2. ¿Cuáles son los cuatro colores de las algas? ___verde, rojo, marrón, marrón dorado___

3. ¿Por qué son importantes las algas unicelulares? ___Fabrican la mayor parte del oxígeno que aspiramos.___

ALGUNOS DATOS INTERESANTES SOBRE LOS MOHOS VISCOSOS

¿Has visto alguna vez la película que se titula *The Blob* (la "masa viscosa")? Durante parte de su ciclo vital, un moho viscoso se parece a una masa viscosa sin forma.

Un moho viscoso no fabrica sus propios alimentos. Se rezuma sobre el suelo del bosque en busca de alimentos. Un moho viscoso absorbe sus alimentos.

Los mohos viscosos son protistas muy raros. En una etapa los mohos viscosos se parecen a hongos. Pero durante otra etapa, los mohos se ven y se actúan como amebas. Acabas de aprender que las amebas son protozoos. Un moho viscoco puede formarse por muchas células como amebas. O, a veces los mohos viscosos son simplemente una masa de citoplasma con miles de núcleos.

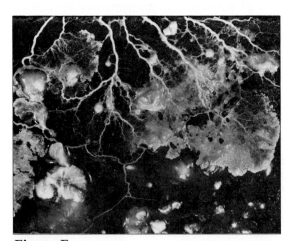

Figura E

4. ¿Cómo adquiere sus alimentos un moho viscoso? ___los absorbe___

5. ¿A qué organismos se parecen los mohos viscosos durante diferentes etapas de su ciclo vital? ___los hongos y las amebas___

150

Estás examinando algo con un microscopio... Bueno, la verdad esque no. Pero, imagínate que lo haces.

La Figura F de la página 152 te muestra lo que estás "viendo": 15 tipos diferentes de protistas.

Anton van Leeuwenhoek fue un pionero en la fabricación de microscopios. Vivía hace más de 300 años. Van Leeuwenhoek fue la primera persona en ver los protistas diminutos. Adivina lo que los nombró. "¡Bestias diminutas!" Ahora, tienen nombres científicos muy elegantes.

¿Puedes usar las descripciones para identificar estos protistas? ¡Claro que puedes! PERO, hay una dificultad. Algunos de los nombres son difíciles de pronunciar. Le cuesta trabajo a todo el mundo pronunciarlos. Pero, no te desanimes. En realidad, debe ser muy DIVERTIDO intentarlo.

¡PREPRADOS! ¡LISTOS! ¡YA!

Empareja cada protista de la Figura F con su descripción en la tabla. Escribe la letra correcta en los espacios de la tabla. (Pista: Puedes querer marcar los de que estás seguro primero.)

	Nombre científico	Se parece a	Letra
1.	diátomo	un triángulo	k
2.	"heteronema"	un caracol	h
3.	"protochrysis"	una judía o un frijol	l
4.	"chlamydononas"	una gota con barbas	g
5.	paramecio	una pisada	a
6.	vorticela	una flor con cuerda telefónica como tallo	m
7.	"loxodes"	un pepino que alguien ha mordido	f
8.	radiolario	un copo de nieve como encaje	d
9.	"lacrymaria"	un cisne	b
10.	"anarma"	una bolsa con esquinas peludas	j
11.	heliozoo	el sol	e
12.	espiroqueta	un tubo con gusanos enrollados por dentro	o
13.	"forminiferan"	un racimo de uvas peludas	i
14.	"glenodinium monensis"	una hamburguesa	n
15.	"trachelocera conifer"	un bate de béisbol	c

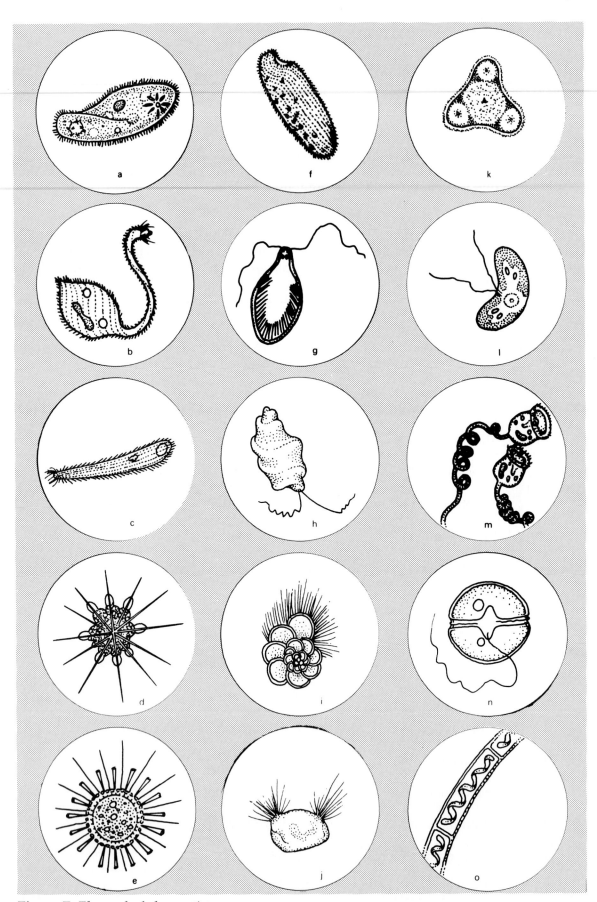

Figura F *El mundo de los protistas*

¿Qué son los hongos?

23

sombrerete: parte del hongo que tiene forma de paraguas
quitina: sustancia dura que forma las paredes celulares de los hongos
hongos: organismos como plantas que no tienen clorofila
laminillas: estructuras que producen las esporas de los hongos
rizoides: estructuras como raíces que fijan los hongos
columnilla: parte como un tallo del hongo

¿Crees que los champiñones en una ensalada están relacionadas con la lechuga? Muchas personas creen que los champiñones son plantas. Sin embargo, los champiñones no son plantas. Los champiñones son un tipo de **hongos**.

De algunas formas, los hongos se parecen a las plantas. Por ejemplo, los hongos crecen bien en la tierra, igual que la mayoría de las plantas. Las células de los hongos tienen paredes celulares. Las de las plantas tienen paredes celulares también. E, igual que algunas plantas, los hongos se reproducen por esporas.

Los científicos, sin embargo, han descubierto que los hongos y las plantas no se parecen mucho en realidad. Veamos cómo se difieren:

- Las células de hongos no tienen cloroplastos ni clorofila. Así que, los hongos no pueden fabricar sus propios alimentos como las plantas. Los hongos tienen que sacar alimentos de su medio ambiente. La mayoría de los hongos se alimentan de organismos muertos.

- Las paredes celulares de los hongos se forman por una sustancia dura que se llama la **quitina.** Puedes recordar que la pared celular de una planta se forma por la celulosa.

- Los hongos muchas veces tienen células grandes con muchos núcleos.

- Los hongos crecen bien en lugares húmedos y oscuros.

Ahora sabes que los champiñones son un tipo de hongo. El reino de los hongos también incluye las levaduras y los mohos.

Las levaduras

Si has hecho el pan alguna vez, probablemente usaste levadura para hacer que esponjara el pan. Las levaduras son hongos sin color y de una sola célula. Crecen bien donde el azúcar está presente. Las levaduras usan el azúcar de alimentación.

Figura A *Las levaduras producen el dióxido de carbono al cocerse la masa de pan en el horno. Cuando las burbujas se forman, el pan se esponja.*

Los mohos

Los mohos son tipos comunes de hongos. Crecen en el pan, en las frutas y hasta en el cuero. La mayoría de los mohos se parecen a una masa de hilos. Algunos hilos tienen estructuras como raíces que se llaman **rizoides**. Fijan el moho al pan. Los nutrimentos se mueven hacia arriba por los rizoides a las otras partes del moho. Otros hilos producen esporas. (Refiérete a la Lección 13.)

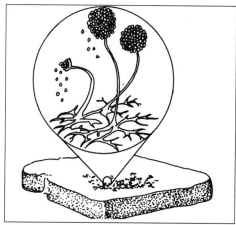

Figura B *El moho negro del pan es un moho común.*

Los champiñones

Como los mohos, los champiñones o las setas se forman por muchos hilos. Sin embargo, los hilos están muy apretados. Probablemente puedes reconocer una seta por su forma. La parte como un tallo de la seta es la **columnilla**. En el extremo de arriba está el **sombrerete** en forma de paraguas o de sombrero. La parte de abajo del sombrerete está forrada de **laminillas**. Las laminillas producen esporas.

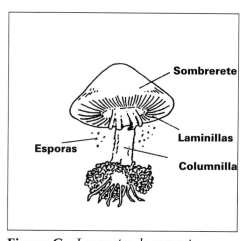

Figura C *Las partes de una seta.*

155

COMPLETA LA TABLA

Contesta las preguntas al escribir "Sí" o "No" en las casillas.

		Plantas	Hongos
1.	¿Tienen todos muchas células?	Sí	No
2.	¿Crecen bien la mayoría en lugares asoleados?	Sí	No
3.	¿Tienen paredes celulares formadas por la quitina?	No	Sí
4.	¿Tienen clorofila las células?	Sí	No
5.	¿Hay una pared celular que rodea las células?	Sí	Sí
6.	¿Están formadas las paredes celulares por la quitina?	No	Sí
7.	¿Pueden fabricar sus propios alimentos?	Sí	No
8.	¿Muchas veces tienen células muy grandes con muchos núcleos?	No	Sí
9.	¿Crecen al producir estructuras como hilos?	No	Sí
10.	¿Tienen cloroplastos las células?	Sí	No
11.	¿La mayoría se alimentan de organismos muertos?	No	Sí
12.	¿Todos producen esporas?	No	Sí
13.	¿Crecen bien en lugares oscuros y húmedos?	No	Sí
14.	¿Son microscópicos la mayoría de ellos?	No	No
15.	¿Están formadas las paredes celulares por la celulosa?	Sí	No

CIERTO O FALSO

En los espacios en blanco, escribe "Cierto" si la oración es cierta. Escribe "Falso" si la oración es falsa.

Cierto   **1.** Los mohos frecuentemente crecen en panes y en frutas.

Cierto   **2.** Las levaduras crecen bien donde hay azúcar presente.

Falso   **3.** Los hongos no tienen paredes celulares.

Cierto   **4.** Las laminillas de una seta producen esporas.

Falso   **5.** Las levaduras consisten en muchos hilos.

LAS PARTES DE UN CHAMPIÑÓN

Marca el diagrama con los nombres de las partes de un champiñón: **sombrerete, laminillas, rizoides, esporas** *y* **columnilla**.

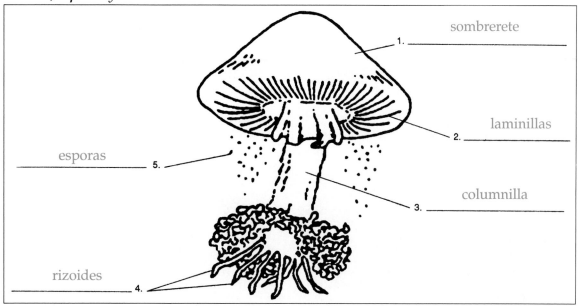

sombrerete

1. _____

laminillas

2. _____

columnilla

3. _____

esporas

5.

rizoides

4.

Figura D

AMPLÍA TUS CONOCIMIENTOS

A muchas personas les gusta comer hongos. Sin embargo, algunos hongos son venenosos. ¿Por qué <u>NUNCA</u> debes recoger y comerte los hongos silvestres?

Pueden ser venenosos. Es difícil para

cualquiera sino un experto distinguir entre

los hongos venenosos y los no venenosos.

_____

Figura E

CIENCIA *EXTRA*

El envasado atmosférico modificado

Piensa en las verduras y frutas de tu supermercado local. ¿En cuántas formas distintas están envasadas? Las frutas y verduras frescas frecuentemente se envasan de formas distintas. Algunos productos no están envasados; otros están envueltos en plástico.

Se envasan los alimentos frescos para protegerlos contra las sustancias químicas, las bacterias, el aire y la humedad. Las bacterias en el aire hacen pudrir las frutas y verduras. A veces, se riegan las verduras con sustancias químicas para impedir el crecimiento de bacterias. Otras veces, se usan sustancias químicas para matar las bacterias que ya existen. Sin embargo, estas sustancias químicas muchas veces se quedan en los alimentos y pueden perjudicar a las personas.

En el pasado, el envasado que se empleaba con las hortalizas impedía que entraran gases en el envase. El envase también impedía que salieran los gases del envase. Los gases que las frutas y las verduras emitían estaban atrapados adentro. Los gases aceleraban el ritmo del deterioro.

Se ha formulado un nuevo método para envasar alimentos que los mantiene frescos al controlar su medio ambiente. Este método para envasar se llama el envasado atmosférico modificado. Funciona al envolver la hortaliza (o el alimento) fresca en una envoltura especial de plástico que controla los gases que pueden entrar en el envase. La envoltura también deja escaparse los otros gases. Al disminuir la cantidad de oxígeno y otros gases alrededor de la hortaliza, se disminuye el ritmo del deterioro.

Esta clase de envasado es único en que permite que salgan los gases de la hortaliza. Los científicos piensan que la tecnología del envasado atmosférico modificado puede doblar la duración del producto cuando está todavía de venta.

¿Cuáles son las características de las plantas?

24

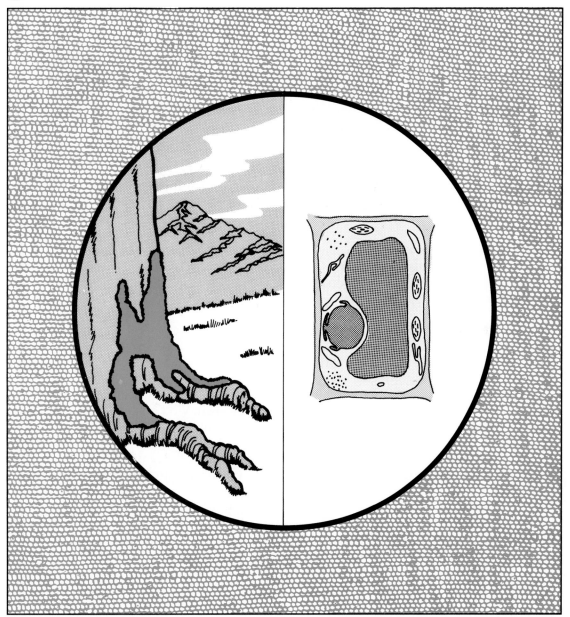

celulosa: sustancia sin vida que forma las paredes celulares de las plantas
clorofila: pigmento verde que una planta necesita para poder fabricar sus propios alimentos
cloroplasto: estructura en las células de una planta verde que almacena la clorofila
semilla: estructura reproductora

Las plantas son bonitas para mirar. Adornamos nuestras casas con plantas. Nos dedicamos a cultivar jardines y a tener el césped denso. Algunas veces les regalamos flores a nuestros seres queridos.

Las plantas nos dan placer, pero tienen aún más importancia. Sin las plantas, ¡no habría vida en la Tierra!

Las plantas nos proporcionan oxígeno. También nos proporcionan alimentos. En realidad, todos los alimentos que comemos provienen de las plantas, sea directamente o sea indirectamente.

Probablemente reconoces una planta cuando la ves. Sin embargo, como has aprendido, algunas algas se parecen a plantas. ¿Cómo puedes averiguar si un organismo es una planta? Todas las plantas tienen estas características:

1. Las plantas tienen muchas células.

2. Las células de una planta forman tejidos y órganos.

3. Las células vegetales (de plantas) las rodea una pared celular tiesa. Esta pared celular se forma por una sustancia sin vida que se llama **celulosa.** La pared celular ayuda a que una planta sea tiesa.

4. Las plantas fabrican sus propios alimentos. Las células de plantas verdes contienen estructuras que se llaman **cloroplastos.** Los cloroplastos contienen una sustancia verde que se llama **clorofila.** La planta necesita la clorofila para fabricar sus propios alimentos. La mayor parte de la producción de alimentos sucede en las hojas de las plantas verdes. Está aquí donde se encuentra la mayor parte de la clorofila. Se puede considerar la hoja de la planta la "fábrica de alimentos" de la planta.

LAS DIVISIONES DE LAS PLANTAS

El reino de las plantas se divide en dos grupos grandes que se llaman divisiones: las plantas vasculares y las plantas no vasculares.

LAS PLANTAS VASCULARES pertenecen a la división *Tracheophyta*. Las plantas vasculares tienen tallos, raíces y hojas. Todas las plantas de esta división también tienen un sistema vascular. Un sistema vascular consiste en un sistema de tubos que se ligan entre sí. Estos tubos transportan agua y nutrimentos disueltos a todas las partes de la planta.

Las plantas vasculares son las plantas más complejas. La mayoría de las plantas que conoces son de este grupo de plantas. Las plantas vasculares incluyen helechos, árboles, rosas y otras plantas con flores.

LAS PLANTAS NO VASCULARES pertenecen a la división *Bryophyta* (briofita). Las plantas de esta división son muy simples. Las plantas no vasculares no tienen raíces, tallos ni hojas verdaderos. Tampoco tienen un sistema vascular.

Ejemplos de las plantas no vasculares incluyen los musgos, las hepáticas y los ceratófilos. Probablemente has visto el musgo. Crece en lugares sombreados y húmedos. Se encuentra mucho en la tierra debajo de los árboles, en las grietas de las aceras y en las paredes.

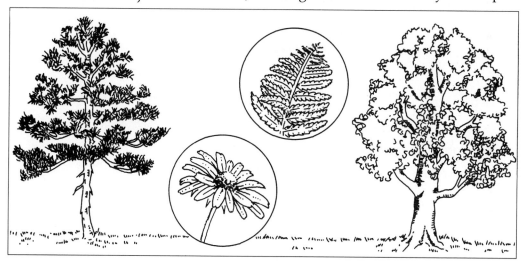

Figura A

En la Figura A se ven algunas plantas comunes. Examina los diagramas. Luego, contesta las preguntas.

1. **a)** Las plantas que se muestran son plantas _____vasculares_____ .

   <u>vasculares, no vasculares</u>

   b) Éstas __sí__ tienen un sistema de tubos para transportar el agua y los nutrimentos

   sí, no

   disueltos.

2. Estas plantas pertenecen a la división _____Tracheophyta_____ .

   Bryophyta, Tracheophyta

3. ¿Tienen las traqueofitas verdaderos raíces, tallos y hojas? _____sí_____

4. Las plantas traqueofitas son plantas _____complejas_____ .

   simples, complejas

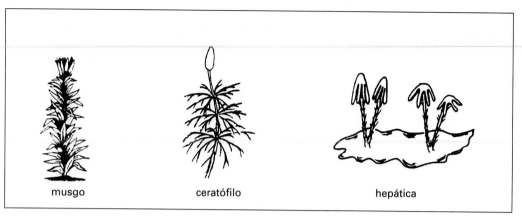

musgo　　　　ceratófilo　　　　hepática

Figura B

5. Escribe los nombres de las plantas de la Figura B: _____ musgo _____
   _____ ceratófilo _____　　　_____ hepática _____

6. Éstas son plantas _____ no vasculares _____ .
   　　　　　　　　　　vasculares, no vasculares

7. Estas plantas pertenecen a la división _____ Bryophyta _____ .
   　　　　　　　　　　　　　　　　　Bryophyta, Tracheophyta

8. ¿Tienen las briofitas verdaderos raíces, tallos y hojas? _____ no _____
   　　　　　　　　　　　　　　　　　　　　　　　　　sí, no

9. Las briofitas son plantas _____ simples _____ .
   　　　　　　　　　　　　simples, complejas

10. Los musgos y las hepáticas son ejemplos de plantas _____ briofitas _____ .
    　　　　　　　　　　　　　　　　　　　　　　　briofitas, traqueofitas

HACER CORRESPONDENCIAS

Empareja cada término de la Columna A con su descripción en la Columna B. Escribe la letra correcta en el espacio en blanco.

	Columna A	Columna B
d	**1.** la clorofila	**a)** formada por la celulosa
c	**2.** plantas vasculares	**b)** crecen en áreas húmedos y sombreados
e	**3.** el reino de las plantas	**c)** tienen tallos, raíces y hojas
b	**4.** los musgos	**d)** sustancia verde
a	**5.** la pared celular	**e)** se divide en dos grupos grandes

162

COMPLETA LA TABLA

Algunas de las características de la tabla de abajo pertenecen solamente a las plantas traqueofitas. Algunas pertenecen solamente a las plantas briofitas. Y algunas pertenecen tanto a las traqueofitas como a las briofitas. Contesta las preguntas al escribir "Sí" o "No" en las casillas.

		DIVISIÓN	
		Traqueofita	**Briofita**
1.	¿Son plantas vasculares?	Sí	No
2.	¿Tienen paredes celulares las células?	Sí	Sí
3.	¿Son plantas no vasculares?	No	Sí
4.	¿Tienen un sistema de tubos que se ligan entre sí?	Sí	No
5.	¿Tienen cloroplastos las células?	Sí	Sí
6.	¿Están formadas por muchas células?	Sí	Sí
7.	¿Tienen verdaderos raíces, tallos y hojas?	Sí	No
8.	¿Pueden fabricar sus propios alimentos?	Sí	Sí
9.	¿Pertenecen los musgos a este grupo?	No	Sí
10.	¿Pertenecen los árboles a este grupo?	Sí	No
11.	¿Son plantas muy simples?	No	Sí
12.	¿Son plantas complejas?	Sí	No
13.	¿Pertenecen las hepáticas a este grupo?	No	Sí
14.	¿Pertenecen las rosas a este grupo?	Sí	No
15.	¿Pertenecen los helechos a este grupo?	Sí	No

En la Lección 13, aprendiste que algunas plantas se reproducen por medio de esporas. Por ejemplo, los helechos son plantas comunes con esporas.

La mayoría de las plantas, sin embargo, se reproducen por **semillas**. Una semilla es una estructura reproductora. Todas las plantas con semillas son plantas vasculares.

Los biólogos clasifican las plantas con semillas en dos grupos. Un grupo tiene semillas desnudas, o sea, sin piel protectora. Este grupo se llama <u>plantas gimnospermas</u>. Las semillas del otro grupo tienen pieles protectoras fuertes. Este grupo se llama <u>plantas angiospermas</u>.

Las plantas gimnospermas más comunes y mejor conocidas son los siempreverdes. Los siempreverdes producen piñas. Sus semillas están dentro de las piñas. Los siempreverdes también tienen hojas especiales que se llaman agujas. Las agujas permanecen verdes todo el año. Los pinos, los cedros y los abetos son gimnospermos.

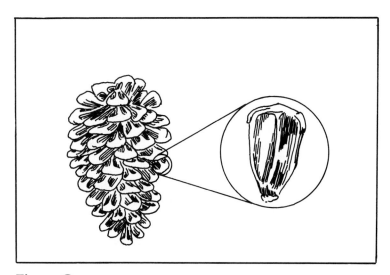

Figura C

Las plantas angiospermas son plantas con flores. La mayoría de las plantas comunes que ves todos los días son angiospermas. En algunas plantas angiospermas, tales como las rosas y los tulipanes, las flores son muy perceptibles. En las otras, las flores son muy pequeñas. Las hierbas, los robles y el maíz son angiospermos. ¿Has visto sus flores alguna vez?

¿PLANTAS GIMNOSPERMAS O ANGIOSPERMAS?

Clasifica cada una de las plantas de abajo como gimnosperma o angiosperma. Luego, escribe si tiene una semilla sin piel protectora o con piel protectora.

Figura D   *Planta de maíz*

1. Una planta de maíz es un __angiospermo__ .
   gimnospermo, angiospermo

   Tiene semillas __con__ piel protectora.
   sin, con

Figura E   *Pino*

2. Un pino es un __gimnospermo__ .
   gimnospermo, angiospermo

   Tiene semillas __sin__ piel protectora.
   sin, con

Figura F   *Abeto*

3. Un abeto es un __gimnospermo__ .
   gimnospermo, angiospermo

   Tiene semillas __sin__ piel protectora.
   sin, con

Figura G   *Tulipán*

4. Un tulipán es un __angiospermo__ .
   gimnospermo, angiospermo

   Tiene semillas __con__ piel protectora.
   sin, con

5. Los gimnospermos más comunes son __los siempreverdes__ .
   los siempreverdes, las hierbas

6. La mayoría de las plantas se reproducen por __semillas__ .
   esporas, semillas

7. Las plantas angiospermas son __flores__ .
   piñas, flores

8. Los siempreverdes tienen hojas especiales que se llaman __agujas__ .
   agujas, flores

COMPLETA LA ORACIÓN

Completa cada oración con una palabra o una frase de la lista de abajo. Escribe tus respuestas en los espacios en blanco. Algunas palabras pueden usarse más de una vez.

nutrimentos disueltos	divisiones	no tienen
briofitas	hojas	alimentos
raíces	complejas	tallos
oxígeno	celulosa	vascular
pared celular	agua	cloroplastos
muchas		

1. No puede existir vida sin las plantas. Las plantas nos dan ___alimentos___ y ___oxígeno___ .

2. El reino de las plantas se divide en dos grupos grandes que se llaman ___divisiones___ .

3. Las plantas fabrican sus propios ___alimentos___ .

4. Una ___pared celular___ tiesa rodea las células vegetales.

5. Las células vegetales tienen estructuras llamadas ___cloroplastos___ , que contienen clorofila.

6. Un sistema ___vascular___ es un sistema de tubos que se ligan entre sí.

7. En algunas plantas, los ___nutrimentos disueltos___ y el ___agua___ se llevan a través de la planta por un sistema vascular.

8. Las plantas vasculares son más ___complejas___ que las plantas no vasculares.

9. Las plantas vasculares tienen verdaderos ___raíces___ , ___tallos___ y ___hojas___ .

10. Las plantas no vasculares ___no tienen___ verdaderos raíces, tallos y hojas.

11. La mayor parte de la fabricación de alimentos sucede en las ___hojas___ de las plantas verdes.

12. Las plantas tienen ___muchas___ células.

13. Los musgos, las hepáticas y los ceratófilos son plantas ___briofitas___ .

14. Una planta necesita la clorofila para fabricar sus propios ___alimentos___ .

15. La pared celular está formada por la ___celulosa___ .

¿Qué son las raíces, los tallos y las hojas?

hoja compuesta: hoja que tiene un limbo que se divide en hojuelas más pequeñas
cofia: cubre y protege la punta de la raíz
pelos: estructuras pequeñas como pelitos que ayudan a la raíz a absorber más agua
hoja simple: hoja que tiene todos los limbos en una sola parte
tejidos: grupos de células que se parecen y que tienen la misma función

¿Qué son las raíces, los tallos y las hojas?

Todas las plantas consisten en muchas células. Las células de plantas vasculares, o las traqueofitas, forman **tejidos**. Los tejidos son grupos de células que se parecen y que tienen la misma función. Los tejidos de las plantas vasculares también se organizan en órganos. Las raíces, los tallos y las hojas son tres órganos de las plantas.

LAS RAÍCES

La mayoría de las raíces crecen debajo de la tierra. Las raíces fijan la planta en la tierra. Las raíces también absorben agua y minerales disueltos en la tierra, y en algunas plantas, las raíces almacenan alimentos.

LOS TALLOS

La función principal de los tallos es sostener las hojas. Los tallos también son órganos importantes para transportar materiales entre las raíces y las hojas. En algunas plantas, los tallos también almacenan alimentos. Por ejemplo, los tallos de la caña de azúcar almacenan grandes cantidades de azúcar.

LAS HOJAS

¿Cómo describirías una hoja? Probablemente dirías que una hoja es verde, plana y delgada. Las hojas son verdes porque contienen clorofila. La planta necesita la clorofila para fabricar sus propios alimentos. La producción de alimentos sucede en las hojas de la planta.

LAS PARTES DE UNA RAÍZ

- Las raíces son estructuras como tubos, formadas por tres capas. Muchas estructuras diminutas como pelitos que se llaman **pelos** salen de la capa externa. Los pelos ayudan a la raíz a absorber más agua.

- La capa del medio almacena agua y alimentos para la raíz.

- La capa interna se forma por un tejido de transporte o un tejido vascular.

La **cofia** cubre la punta de la raíz. La cofia protege la punta de la raíz contra daños a medida que crezca en la tierra.

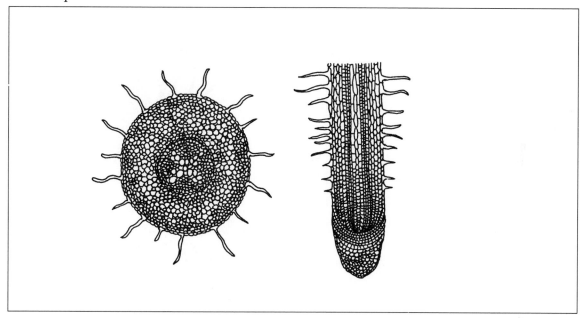

Figura A

Lee la selección y examina la Figura A para contestar las siguientes preguntas.

1. ¿Una raíz se forma por cuántas capas? _____ 3 _____

2. ¿En qué capa se encuentran los pelos de la raíz? _____ en la externa _____

3. ¿Cuál es la función de los pelos de la raíz? _____ absorber agua _____

4. ¿En qué consiste la capa interna? _____ en tejidos de transporte o tejidos vasculares _____

5. ¿Cuál es la estructura que cubre la punta de la raíz? _____ la cofia _____

LOS TIPOS DE RAÍCES

Hay dos tipos principales de sistemas de raíces. Son <u>sistemas de raíces fibrosas</u> y <u>sistemas de raíces primarias</u>. Las raíces fibrosas consisten en muchas raíces delgadas ramificadas. Un sistema de raíz primaria tiene una raíz grande. Muchas raíces pequeñas y delgadas salen de la raíz grande.

*Identifica el tipo de sistema de raíces que se muestran en las Figuras de B a E como **raíz fibrosa** o **sistema de raíz primaria**.*

Figura B *Zanahoria*

6. ___sistema de raíz primaria___

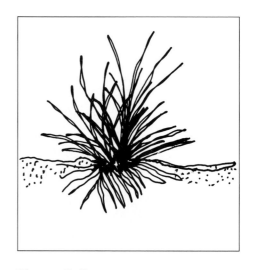

Figura C *Pasto*

7. ___raíz fibrosa___

Figura D *Trigo*

8. ___raíz fibrosa___

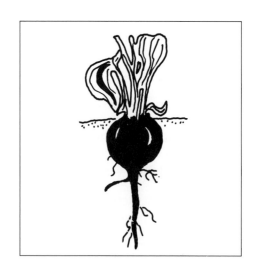

Figura E *Rábano*

9. ___sistema de raíz primaria___

¿QUÉ MUESTRAN LOS DIBUJOS?

Lee acerca de cada dibujo. Luego, contesta las preguntas al lado del dibujo.

Hay dos tipos de tallos de las plantas. Son <u>tallos herbáceos</u> y <u>tallos leñosos</u>. Los tallos herbáceos son blandos y verdes.

1. ¿Cuáles son dos tipos de tallos de las plantas?

   tallos herbáceos y tallos leñosos

2. ¿Qué clase de tallo tiene el tulipán? herbáceo

3. ¿Por qué crees que las plantas con tallos herbáceos

   no crecen muy altas? El tallo blando no puede

   sostener el peso de la planta.

Figura F

Los tallos leñosos son gruesos, duros y ásperos. Todos los árboles tienen tallos leñosos.

4. Los tallos leñosos ___no son___ verdes.
   _{son, no son}

5. ¿Cómo se llama la capa áspera externa de un tallo

   leñoso? la corteza

Figura G

Tanto los tallos herbáceos como los leñosos tienen tubos de transporte. Un grupo de tubos transporta los materiales desde las raíces hacia arriba. El otro transporta los materiales desde las hojas hacia abajo a través de la planta.

6. ¿Cuáles son los materiales que los tubos trans portan desde las raíces hacia arriba?

   agua y nutrimentos disueltos

7. ¿Cuál es el material que los tubos transportan

   desde las hojas hacia abajo? alimentación

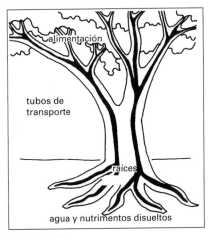

Figura H

La mayoría de las hojas tienen un rabillo, o pecíolo, y una parte ancha y plana que se llama el limbo o la lámina. El rabillo fija la hoja en el tallo. La fabricación de alimentos sucede en el limbo. A través del limbo hay muchas nervaduras, o venas. Las nervaduras consisten en tejidos de transporte.

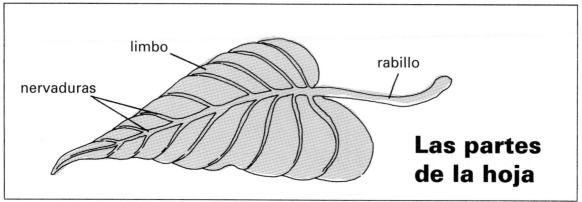

Figura I *Las partes de la hoja*

En algunas plantas los limbos de las hojas son de una sola pieza. Este tipo de hoja se llama **hoja simple**. En otras plantas, el limbo de la hoja se divide en partes más pequeñas que se llaman hojuelas o folíolos. Este tipo de hoja se llama **hoja compuesta**.

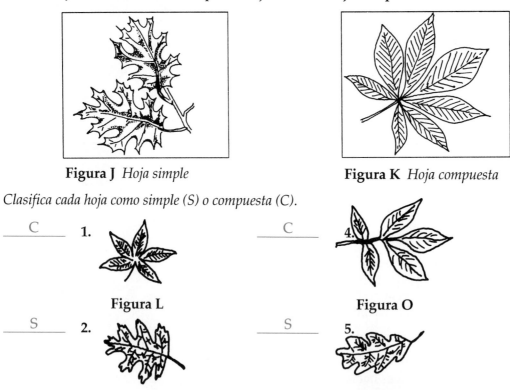

Figura J *Hoja simple*

Figura K *Hoja compuesta*

Clasifica cada hoja como simple (S) o compuesta (C).

<u> C </u> **1.**

Figura L

<u> S </u> **2.**

Figura M

<u> S </u> **3.**

Figura N

<u> C </u> **4.**

Figura O

<u> S </u> **5.**

Figura P

<u> S </u> **6.**

Figura Q

¡INTÉNTALO TÚ!

Consigue una sola hoja de un árbol. Busca el limbo y el rabillo de tu hoja. Averigua si la hoja tiene hojuelas. Haz un dibujo de tu hoja en el espacio de abajo. Identifica cada parte de la hoja con un rótulo y escribe si tu hoja es una hoja simple o compuesta.

Revise los dibujos de los estudiantes.

Figura R

EL INTERCAMBIO DE GASES

Los estomas son huecos muy pequeños que están en la cara inferior de las hojas de una planta. El oxígeno y el dióxido de carbono del aire entran en la planta por los estomas. Junto con el agua, el oxígeno y el dióxido de carbono también salen de la planta por los estomas.

1. ¿Para qué proceso necesitan las plantas el oxígeno? _para la respiración_

2. ¿Cuáles son los desechos de la respiración?

   el dióxido de carbono y el agua

3. ¿Qué gas necesitan las plantas para fabricar sus propios alimentos?

   el dióxido de carbono

Figura S

173

COMPLETA LA ORACIÓN

Completa cada oración con una palabra o una frase de la lista de abajo. Escribe tus respuestas en los espacios en blanco. Algunas palabras pueden usarse más de una vez.

compuesta	transporte	leñosos
estomas	tallos	fabricación de alimentos
protege	muchas	raíz primaria

1. Los _____tallos_____ herbáceos son blandos y verdes.

2. Las nervaduras de una hoja consisten en tejidos de _____transporte_____.

3. Una zanahoria tiene un sistema de _____raíz primaria_____.

4. Las raíces fibrosas consisten en _____muchas_____ raíces delgadas ramificadas.

5. El oxígeno entra en una planta por los _____estomas_____.

6. La función principal de los _____tallos_____ es sostener las hojas.

7. La _____fabricación de alimentos_____ sucede en las hojas.

8. La cofia _____protege_____ la punta de la raíz.

9. Los tallos _____leñosos_____ son gruesos y ásperos.

10. Una hoja _____compuesta_____ está divida en hojuelas.

HACER CORRESPONDENCIAS

Empareja cada término de la Columna A con su descripción en la Columna B. Escribe la letra correcta en el espacio en blanco.

Columna A		Columna B	
__h__ 1.	los pelos	a)	absorben agua y minerales disueltos
__g__ 2.	el sistema de raíces fibrosas	b)	transportan materiales a través de la planta
__f__ 3.	una hoja simple	c)	parte ancha y plana de una hoja
__a__ 4.	las raíces	d)	cubre la punta de la raíz
__b__ 5.	los tubos de transporte	e)	huecos muy pequeños
__e__ 6.	los estomas	f)	limbos de la hoja son de una pieza
__d__ 7.	la cofia	g)	sistema de raíces del pasto
__c__ 8.	el limbo	h)	ayudan a la raíz a absorber más agua

¿Cómo consiguen su energía los seres vivos?

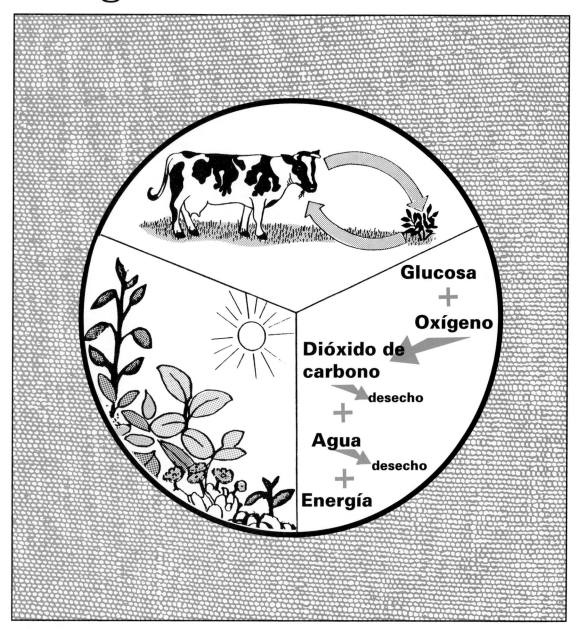

fotosíntesis: proceso de fabricar alimentos en las plantas
respiración: proceso en que los organismos sacan energía de los alimentos
estomas: pequeñas aberturas en una hoja

LECCIÓN 26 | ¿Cómo consiguen su energía los seres vivos?

Necesitas energía para vivir, también la necesitan las plantas. <u>Todos</u> los seres vivos necesitan energía para llevar a cabo sus procesos de vida.

¿Cómo consiguen energía las plantas y los animales? Lo hacen de la misma manera en que tu coche obtiene la energía, al quemar un combustible o carburante. El carburante de los coches es la gasolina. Se emite la energía cuando el oxígeno del aire se mezcla con la gasolina en el motor.

Las plantas y los animales utilizan la glucosa como su "carburante". La glucosa es un azúcar simple. Cuando el oxígeno se mezcla con la glucosa, se produce la energía. Este proceso de producir la energía se llama la **respiración**. Recuerda que la respiración es uno de los procesos de vida.

¿DE DÓNDE VIENE LA GLUCOSA?

Los animales ingieren alimentos. Comen plantas u otros animales. Durante la digestión, una parte de estos alimentos se transforma en glucosa. Los animales usan glucosa para la energía.

Las plantas son diferentes. Fabrican sus propios alimentos por un proceso que se llama la **fotosíntesis**.

La fotosíntesis sucede en las hojas de las plantas verdes. Las células de las plantas verdes tienen estructuras que se llaman cloroplastos. Los cloroplastos contienen la sustancia verde de la clorofila. La clorofila atrapa la energía de la luz del sol. Hace falta la energía de la luz para que las plantas fabriquen sus propios alimentos.

Las plantas también necesitan otras dos sustancias para fabricar sus propios alimentos: el <u>agua</u> y el <u>dióxido de carbono</u>.

- El agua entra en la planta por las raíces.

- La mayor parte del dióxido de carbono entra en la planta por huecos muy pequeños en las hojas que se llaman **estomas**.

El proceso de producir energía en los seres vivos se llama la respiración. La respiración es la emisión de energía que resulta de mezclar el oxígeno con los alimentos digeridos (la glucosa). También se producen el dióxido de carbono y el agua. Son los desechos de la respiración.

Ésta es una forma sencilla para mostrar la respiración:

Glucosa + Oxígeno ⟶ **Dióxido de carbono + Agua + Energía**
$\qquad\qquad\qquad\qquad\qquad\qquad\qquad\qquad\qquad$ desecho $\qquad$ desecho

El proceso de fabricar alimentos de las plantas verdes se llama la fotosíntesis. La fotosíntesis también es responsable de la producción del oxígeno.

Se puede enseñar la fotosíntesis de esta forma:

$\qquad\qquad$ **Dióxido de carbono + Agua** ⟶ **Glucosa + Oxígeno**
$\qquad\qquad\qquad\qquad\qquad\qquad\qquad$ clorofila
$\qquad\qquad\qquad\qquad\qquad\qquad\qquad$ luz del sol
$\qquad\qquad\qquad\qquad\qquad\qquad\qquad$ (energía)

Refiérete a esta información y contesta las siguientes preguntas.

1. ¿Cómo se llama la emisión de energía por los seres vivos? _la respiración_

2. La respiración es _idéntica_ en las plantas y en los animales.
    diferente, idéntica

3. Dos desechos producidos por la respiración son el _dióxido de carbono_

    y el _agua_ .

4. ¿Cuál es el "carburante" que usan los seres vivos para la energía? _glucosa_

5. ¿Qué tiene que mezclarse con este carburante para producir energía? _oxígeno_

6. ¿Consiguen alimentos desde fuera las plantas? _no_

7. ¿Cómo consiguen sus alimentos las plantas? _Fabrican sus propios alimentos._

    _____

8. El proceso de fabricar alimentos en las plantas se llama la _fotosíntesis_ .

9. La fotosíntesis combina dos productos químicamente. ¿Cuáles son?

   dióxido de carbono
   _____

   agua
   _____

10. La fotosíntesis también requiere la energía y la sustancia verde que se

    llama _____clorofila_____ .

11. ¿En qué parte de la planta sucede la fotosíntesis mayormente?

    _____en las hojas_____

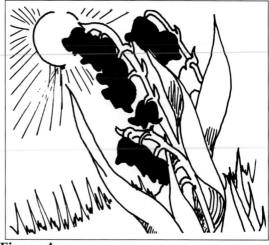

Figura A

Examina con atención la Figura B. Luego, contesta estas preguntas.

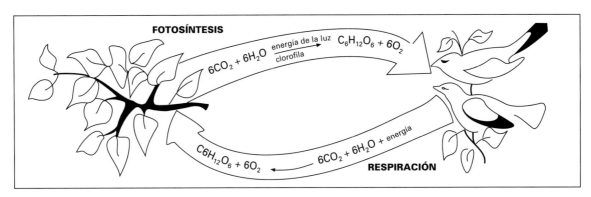

Figura B

12. En la fotosíntesis,

    a) ¿cuáles son los productos al principio? _____dióxido de carbono_____

    y _____agua_____

    b) ¿cuáles son los productos al final? _____glucosa_____ y _____oxígeno_____

13. En la respiración,

    a) ¿cuáles son los productos al principio? _____glucosa_____ y _____oxígeno_____

    b) ¿cuáles son los productos al final? _____dióxido de carbono_____ y _____agua_____

14. **a)** ¿Se necesita energía para que suceda la fotosíntesis? _____sí_____

    b) ¿Produce energía la respiración? _____sí_____

15. La fotosíntesis y la respiración son reacciones _____contrarias_____ .

    iguales, contrarias

¿QUÉ MUESTRA EL DIAGRAMA?

Este diagrama enseña cómo sucede la fotosíntesis. Cuando las plantas verdes están expuestas a la luz solar, sucede este proceso:

agua más dióxido de carbono **producen** glucosa y oxígeno.

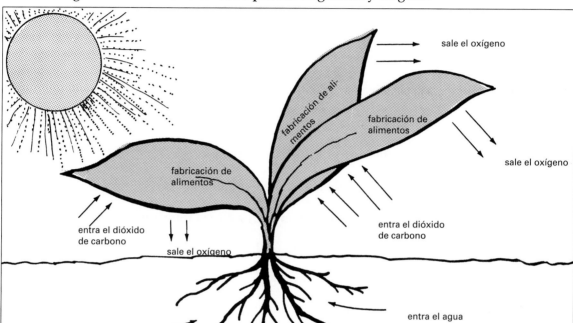

Figura C

Mira la Figura C y luego contesta las siguientes preguntas acerca de la fotosíntesis.

1. ¿Sucede la fotosíntesis en las hojas o en las raíces? _en las hojas_

2. ¿Cuáles son dos materiales que una planta tiene que absorber para la fotosíntesis?
   agua y dióxido de carbono

3. ¿Qué más se necesita para la fotosíntesis? _energía del sol y clorofila_

4. ¿De dónde viene el gas de dióxido de carbono? _del aire_

5. ¿Cuáles son las dos cosas que la fotosíntesis produce? _glucosa y oxígeno_

6. ¿Qué fabrica una planta como alimentos? _la glucosa_

7. ¿Por dónde entra el agua en una planta? _por las raíces_

8. ¿Por dónde entra el dióxido de carbono en una planta? _por las hojas_

9. ¿Por dónde sale el oxígeno de una planta? _por las hojas_

10. ¿Qué seres vivos utilizan el oxígeno? _los animales_

COMPLETA LA ORACIÓN

Completa cada oración con una palabra o una frase de la lista de abajo. Escribe tus respuestas en los espacios en blanco. Algunas palabras pueden usarse más de una vez.

clorofila	procesos de vida	fotosíntesis
glucosa	dióxido de carbono	oxígeno
respiración	agua	

1. La emisión de energía en los seres vivos se llama la ___respiración___ .

2. La respiración mezcla el azúcar simple de ___glucosa___ con el gas de ___oxígeno___ .

3. Los desechos de la respiración son el ___agua___ y el ___dióxido de carbono___ .

4. La energía emitida durante la respiración se usa para los ___procesos de vida___ .

5. El proceso de fabricar alimentos de las plantas se llama la ___fotosíntesis___ .

6. Los productos que se mezclan químicamente durante la fotosíntesis son el
   ___dióxido de carbono___ y el ___agua___ .

7. La sustancia en las hojas de plantas verdes que se necesita para la fotosíntesis es la
   ___clorofila___ .

AMPLÍA TUS CONOCIMIENTOS

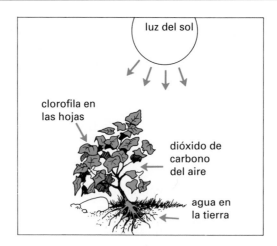

Figura D *La fotosíntesis*

1. Una planta fabrica sus propios alimentos (la glucosa). Las plantas también fabrican la glucosa, el agua y los minerales. ¿Cómo consigue los minerales una planta?

   Absorbe los minerales de la tierra a través de las raíces.

2. Las algas tienen clorofila y llevan a cabo la fotosíntesis. ¿Cómo consiguen alimentos las algas? (Pista: Puedes referirte a la Lección 22 si necesitas ayuda.)

   Fabrican sus propios alimentos.

¿Cuáles son las partes de una flor?

27

antera: estructura de una flor que produce los granitos de polen
incompleta: flor que tiene sólo pistilos o sólo estambres
óvulo: estructura pequeña en que se desarrollan las ovocélulas en una flor
completa: flor que tiene tanto pistilos como estambres
pistilo: órgano reproductor femenino de una flor
estambre: órgano reproductor masculino de una flor

LECCIÓN 27 | ¿Cuáles son las partes de una flor?

¿Has visitado alguna vez un jardín botánico? Un jardín botánico es un lugar donde puedes ver muchas clases diferentes de plantas y muchas flores hermosas. No todas las plantas tienen flores. Pero en las que sí las tienen, la flor es el órgano de la reproducción sexual. Una flor produce las células sexuales, o sea, los gametos, de una planta. Los gametos masculinos y femeninos se unen para producir semillas. De cada semilla puede nacer una planta nueva.

Vamos a examinar las partes de una flor. Refiérete a la Figura A de la siguiente página a medida que leas.

La parte inferior de una flor está rodeada de hojas especiales que se llaman <u>sépalos</u>. Los sépalos protegen el capullo de la flor.

Los pétalos de una flor se encuentran justamente dentro de los sépalos. Los pétalos son otro tipo de hoja especial. Los pétalos son las hojas coloreadas que protegen los órganos reproductores.

Las partes más importantes de una flor son los **estambres** y el **pistilo.**

LOS ESTAMBRES El estambre es el órgano reproductor masculino de la planta. La mayoría de las flores tienen muchos estambres.

Un solo estambre tiene dos partes: un <u>filamento</u> parecido a un hilito y una **antera** parecida a un botón. La antera está en la parte superior del filamento.

Una antera produce una sustancia polvorosa que se llama el <u>polen</u>. Los granitos de polen son las células sexuales masculinas de una planta.

EL PISTILO El pistilo es el órgano reproductor femenino de la planta. Se encuentra en el centro de la flor. Algunas flores tienen más de un pistilo.

La parte inferior de un pistilo está hinchada. Este abultamiento es el <u>ovario</u>. Un ovario contiene uno o más **óvulos.** Cada óvulo tiene una ovocélula. Las ovocélulas son las células sexuales femeninas. La fecundación de una ovocélula por un granito de polen sucede en el óvulo. Una ovocélula fecundada llega a ser una semilla. ¿Qué producirá una semilla?

Examina la Figura A. Luego, llena los espacios en blanco.

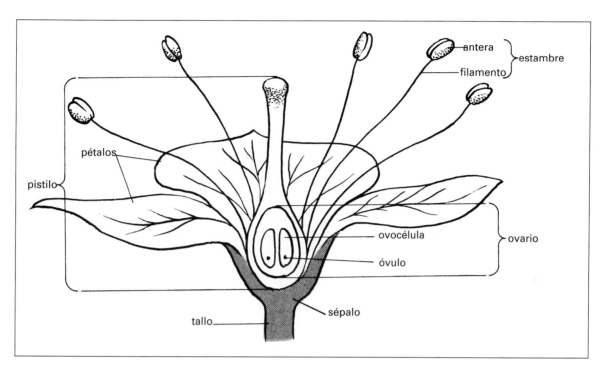

Figura A

1. Nombra el órgano reproductor masculino de una planta. _____estambre_____

2. Nombra el órgano reproductor femenino de una planta. _____pistilo_____

3. El _____estambre_____ produce el polen.

4. El _____pistilo_____ produce las ovocélulas.

5. ¿Cuántos estambres tiene esta flor? _____5_____

6. **a)** Nombra las partes de un estambre._____antera_____ _____filamento_____

   b) ¿Qué parte del estambre produce el polen?_____antera_____

7. ¿Cómo se llama la parte hinchada de un pistilo? _____ovario_____

8. **a)** ¿Cuántos óvulos hay en este ovario? _____2_____

   b) ¿Cuántas ovocélulas hay en cada óvulo? _____1_____

9. ¿Qué hacen los sépalos? _____protegen el capullo de la flor_____

10. ¿Cómo se llaman las hojas de una flor especiales y llenas de color? _____pétalos_____

- Algunas flores solamente tienen estambres. Son flores <u>masculinas</u> o <u>estaminíferas</u>.

- Algunas flores solamente tienen pistilos. Son flores <u>femeninas</u> o <u>poliginias</u>.

- Una flor que solamente tiene pistilos o estambres es una flor **incompleta.**

- La mayoría de las flores tienen estambres y pistilos. Éstas se llaman flores **completas.**

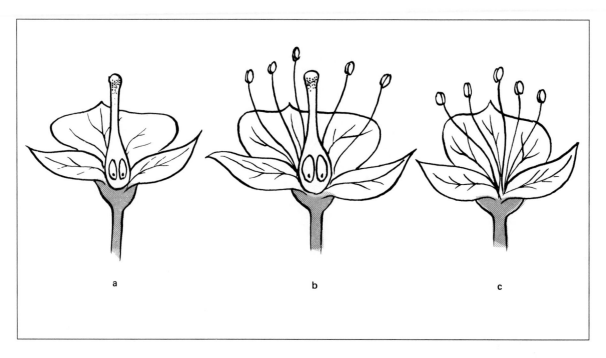

Figura B

Examina las flores de la Figura B. Luego, contesta las preguntas al escribir la letra correcta en los espacios en blanco.

1. ¿Cuál es una flor estaminífera? _____c_____

2. ¿Cuál es una flor poliginia? _____a_____

3. ¿Cuál es una flor completa? _____b_____

4. ¿Cuál de las flores sólo produce el polen? _____c_____

5. ¿Cuál de las flores sólo produce las ovocélulas? _____a_____

6. ¿Cuál de las flores produce tanto el polen como las ovocélulas? _____b_____

7. ¿Qué flores son flores incompletas? _____a y c_____

8. Mira la flor completa. Los estambres son _____más altos_____ que el pistilo.
   más altos, más bajos

9. ¿Qué flor(es) tiene(n) sépalos? _____a, b y c_____

10. ¿Qué flor(es) tiene(n) pétalos? _____a, b y c_____

COMPLETA LA ORACIÓN

Completa cada oración con una palabra o una frase de la lista de abajo. Escribe tus respuestas en los espacios en blanco. Algunas palabras pueden usarse más de una vez.

estambres   antera   ovocélula
ovario   semilla   óvulos
células sexuales   pistilo   gametos

1. Una célula sexual femenina se llama una ____ovocélula____ .

2. Los granitos de polen son las ____células sexuales____ masculinas de una planta.

3. Las células sexuales también se llaman ____gametos____ .

4. La parte masculina de una planta está formada por varios ____estambres____ .

5. La parte de un estambre que produce el polen es la ____antera____ .

6. La parte femenina entera de la planta es el ____pistilo____ .

7. La parte hinchada del pistilo es el ____ovario____ .

8. Un ovario tiene partes especiales que se llaman ____óvulos____ .

9. Un óvulo contiene una sola ____ovocélula____ .

10. Una ovocélula fecundada de una planta llega a ser una ____semilla____ .

HACER CORRESPONDENCIAS

Empareja cada término de la Columna A con su descripción en la Columna B. Escribe la letra correcta en el espacio en blanco.

Columna A	Columna B
d 1. la ovocélula	a) células sexuales masculinas de una planta
a 2. granitos de polen	b) hojas especiales
b 3. los sépalos	c) parte femenina de la planta donde sucede la fecundación
c 4. el óvulo	d) célula sexual femenina
f 5. la antera	e) tienen estambres y un pistilo
h 6. una flor incompleta	f) produce el polen
g 7. una flor	g) órgano reproductor de una planta
e 8. las flores completas	h) sólo tiene un pistilo o estambres

NOMBRA LAS PARTES DE UNA FLOR

Escribe los nombres de las partes de la flor de la Figura C. Escríbelos en los espacios correspondientes. Escoge de las siguientes palabras:

pistilo	sépalo	ovario
antera	óvulo	estambre
pétalos	filamento	ovocélula

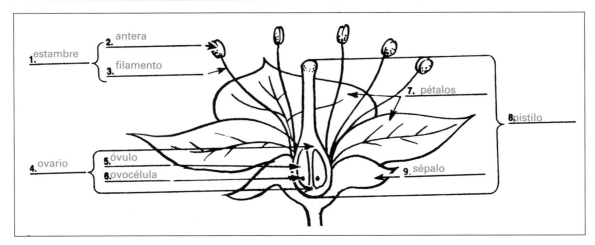

Figura C

CIERTO O FALSO

En los espacios en blanco, escribe "Cierto" si la oración es cierta. Escribe "Falso" si la oración es falsa.

Cierto   **1.** Una flor es un órgano de la reproducción sexual.

Falso   **2.** Todas las plantas se reproducen sexualmente.

Cierto   **3.** Hay plantas femeninas y plantas masculinas.

Cierto   **4.** Algunas plantas son masculinas y femeninas.

Cierto   **5.** Las partes más importantes de una flor son los estambres y el pistilo.

Falso   **6.** Los estambres son las partes femeninas.

Falso   **7.** Los estambres producen las ovocélulas.

Cierto   **8.** Un ovario tiene por lo menos un óvulo.

Falso   **9.** Un óvulo tiene muchas ovocélulas.

Cierto   **10.** Una ovocélula fecundada llega a ser una semilla.

¿Cómo sucede la polinización?

28

polinización cruzada: cuando el polen se lleva del estambre de una flor de una planta al pistilo de una flor de otra planta <u>diferente</u>

polen: célula reproductora masculina de una planta

polinización: movimiento de polen desde un estambre a un pistilo

polinización directa: cuando el polen se lleva del estambre de una flor de una planta al pistilo de otra flor de la <u>misma</u> planta

LECCIÓN 28 | ¿Cómo sucede la polinización?

Antes de que un granito de polen pueda fecundar una ovocélula, el polen tiene que moverse desde un estambre a un pistilo. El movimiento del polen desde un estambre a un pistilo se llama la **polinización.**

Hay dos clases de polinización: la **polinización directa** y la **polinización cruzada.**

LA POLINIZACIÓN DIRECTA sucede en las flores completas. Una flor completa tiene estambres y un pistilo. La polinización directa sucede cuando el polen de un estambre llega al pistilo de la misma flor. La polinización directa también sucede cuando el polen de una flor se lleva al pistilo de otra flor de la misma planta.

LA POLINIZACIÓN CRUZADA es el transporte del polen de un estambre de una flor de una planta al pistilo de una flor de otra planta. Las flores incompletas sólo se polinizan por medio de la polinización cruzada. Una planta masculina no puede polinizar a sí misma. No tiene pistilo. Una planta femenina no produce el polen. Tiene que conseguir el polen de alguna otra planta. Las flores completas también pueden reproducirse mediante la polinización cruzada. Una flor completa puede dar el polen a otra planta o recibirlo de otra planta.

¿Qué transporta el polen de una planta a otra? Hay dos medios principales de transporte: el viento y los insectos.

El viento El polen es como un polvo fino. Tiene peso liviano. El viento puede llevar el polen de la antera de una flor al pistilo de otra flor de la misma planta. O, el viento puede llevar el polen a los pistilos de la misma especie de flor que está muy lejos. Por ejemplo, el viento ayuda a polinizar las plantas de maíz.

Los insectos Las flores atraen a los insectos por su olor agradable y sus colores brillantes. Los insectos también vienen a las flores para alimentarse de un líquido dulce que se llama néctar.

Los insectos buscan el néctar dentro de los pétalos de las flores. A medida que busquen, algo del polen se pega a los cuerpos. Luego, los insectos pueden ir a otras flores. Allí, el polen puede rozar a los otros pistilos, llegando a pegarse a ellos.

Algunos insectos que llevan el polen son las moscas, los zancudos, las mariposas, las polillas y las abejas. Las abejas son los insectos más importantes. En realidad, se "emplean" las abejas para polinizar los frutales. Los colibríes y los murciélagos polinizan algunas flores también. Y a veces, el agua transporta el polen.

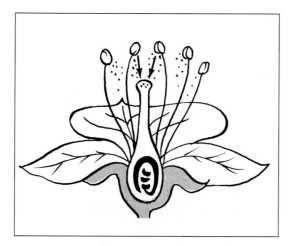

Figura A *La polinización directa*

A veces la gravedad hace la labor de la polinización directa. El polen de los estambres simplemente se cae encima del pistilo de la misma flor.

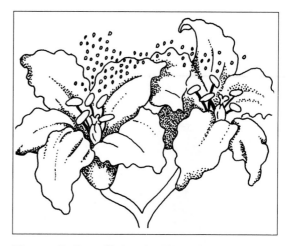

Figura B *La polinización directa*

La polinización directa también sucede cuando el polen de una flor se transporta al pistilo de otra flor de la misma planta.

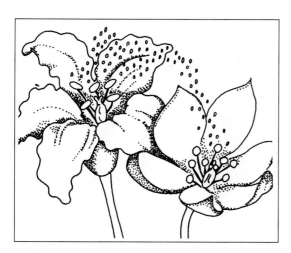

Figura C *La polinización cruzada de flores incompletas*

En la polinización cruzada, el polen de una flor de una planta se transporta a un pistilo de otra planta.

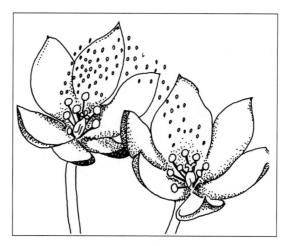

Figura D *La polinización cruzada de flores completas*

La polinización cruzada también sucede cuando el polen de una flor completa se transporta al pistilo de una flor completa de otra planta.

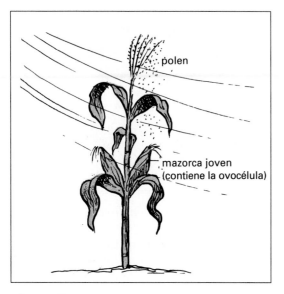

Figura E

El viento transporta el polen de los estambres de una planta de maíz al pistilo. Las barbas de maíz son en realidad la parte femenina.

Figura F

Las polillas y las mariposas llevan el polen de una planta a otra —hasta los cactos.

Figura G

Los insectos ven colores que las personas no pueden ver. Algunas flores tienen un "blanco" de colores que nosotros no podemos ver.

Figura H

Los insectos no ven el color rojo. Para ellos, se ve negro. La mayoría de las flores rojas las polinizan las aves.

PARA COMPRENDER LA POLINIZACIÓN

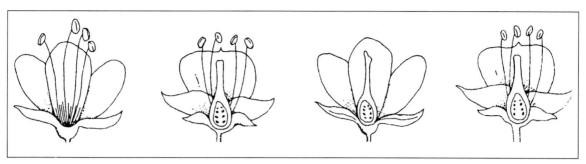

Figura I

Examina las cuatro flores de la Figura I. Luego, contesta las preguntas de abajo al escribir la letra correcta en el espacio correspondiente.

1. ¿Cuál de las flores solamente produce el polen? _____a_____

2. ¿Cuál de las flores solamente produce las ovocélulas? _____c_____

3. ¿Cuáles de las flores pueden polinizarse directamente? _____b y d_____

4. ¿Cuál de las flores no puede polinizar a ninguna otra flor? _____c_____

5. ¿La flor **b** puede polinizar a cuáles de las flores? _____la flor d o a sí misma_____

6. ¿La flor **d** puede polinizar a cuáles de las flores? _____la flor b o a sí misma_____

7. ¿La flor **a** puede polinizar a cuál de las flores? _____la flor c_____

8. ¿En cuáles de las plantas puede suceder la fecundación? _____b, c y d_____

Dibuja flechas en la Figura I para mostrar todas las maneras en que estas flores pueden polinizarse.

Revise los dibujos de los estudiantes.

HACER CORRESPONDENCIAS

Empareja cada término de la Columna A con su descripción en la Columna B. Escribe la letra correcta en el espacio en blanco.

Columna A		Columna B	
___d___	1. el néctar	**a)**	polinizan la mayoría de las flores rojas
___a___	2. las aves	**b)**	sólo tienen pistilos o estambres
___e___	3. las flores completas	**c)**	son los más importantes para transportar el polen
___b___	4. las flores incompletas	**d)**	líquido dulce
___c___	5. las abejas	**e)**	tienen estambres y pistilos

COMPLETA LA ORACIÓN

Completa cada oración con una palabra o una frase de la lista de abajo. Escribe tus respuestas en los espacios en blanco. Algunas palabras pueden usarse más de una vez.

polinización directa	néctar	insectos
viento	olor	estambre
pistilo	polinización cruzada	polinización
colores		

1. Las plantas de maíz generalmente reciben ayuda del _____viento_____ para polinizarse.

2. La parte masculina de una planta es el _____estambre_____ .

3. La parte femenina de una planta es el _____pistilo_____ .

4. Los insectos van a las flores para alimentarse del _____néctar_____ .

5. El movimiento del polen de cualquier estambre a cualquier pistilo se llama la _____polinización_____ .

6. Las dos clases de polinización son la ___polinización directa___ y la ___polinización cruzada___ .

7. La polinización de un pistilo por el polen de la misma flor se llama la ___polinización directa___ .

8. La polinización de un pistilo de una planta por el polen de otra planta diferente se llama la ___polinización cruzada___ .

9. Los medios más importantes para transportar el polen son el _____viento_____ y las _____abejas_____ .

10. Las flores atraen los insectos por su _____olor_____ agradable y sus _____colores brillantes_____ .

PALABRAS REVUELTAS

A continuación hay varias palabras revueltas que has usado en esta lección. Pon las letras en orden y escribe tus respuestas en los espacios en blanco.

1. NAZILOCIPIÓN — POLINIZACIÓN

2. DRAUZCA — CRUZADA

3. TIVONE — VIENTO

4. NISOSETC — INSECTOS

5. LOISTIP — PISTILO

¿Cómo sucede la fecundación?

29

embrión: planta en desarrollo
endospermo: tejido que encierra la planta en desarrollo y que le proporciona alimento
semilla: estructura que contiene una planta en desarrollo y la alimentación para que crezca
estigma: parte superior del pistilo

LECCIÓN 29 | ¿Cómo sucede la fecundación?

Un granito de polen acaba de caerse encima del pistilo de una flor. Un granito de polen no puede moverse por sí solo. ¿Cómo llegaría hasta el ovario para fecundar la ovocélula? El proceso es muy interesante. Refiérete a las Figuras de A a D de la página siguiente a medida que leas sobre cómo el granito de polen llega al ovario.

- La parte superior de un pistilo tiene una superficie pegajosa que se llama el **estigma.** Un granito de polen se pega al estigma cuando se e cae encima.

- El núcleo del granito de polen se divide en tres partes: un núcleo tubular y dos núcleos espermatozoides.

LO QUE HACE EL NÚCLEO TUBULAR

- El núcleo tubular <u>disuelve</u> el material que está por adelante. En realidad, <u>se digiere</u> el camino hasta el ovario. Así, prepara el camino para los dos núcleos espermatozoides.

- Los dos núcleos espermatozoides ahora pueden bajarse libremente por el tubo. Primero, entran en el ovario. Luego, entran en el óvulo donde se encuentra la ovocélula.

LO QUE HACEN LOS NÚCLEOS ESPERMATOZOIDES

- Un núcleo espermatozoide fecunda una ovocélula. La ovocélula fecundada se llama un **embrión.** El embrión puede llegar a ser una nueva planta.

- El segundo núcleo espermatozoide se une con el resto del óvulo que contiene la ovocélula. Juntos, llegan a ser la alimentación para el embrión cuando éste empieza a crecer. La alimentación almacenada se llama el **endospermo.**

Una piel protectora fuerte como cáscara rodea al endospermo y embrión. La parte externa de la pared del óvulo llega a ser la piel. El embrión, el endospermo y la piel dura, juntos, forman una **semilla.**

Una semilla no necesariamente empieza a crecer de inmediato. Puede quedarse inactiva o latente por mucho tiempo. Algo que está latente está en un estado durmiente.

Cuando las condiciones sean propicias, la semilla "se despierta". Va a brotar y empezar a crecer. Durante este período, el embrión utiliza la alimentación almacenada del endospermo. Cuando las primeras hojas se le salen de la plantita, se agota el endospermo. Luego, la planta fabrica sus propios alimentos.

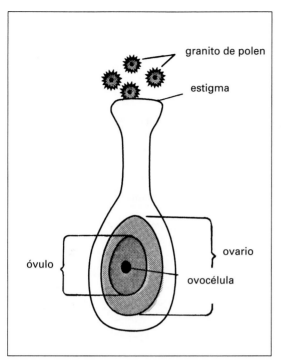

Figura A *Un granito de polen se cae encima de un estigma.*

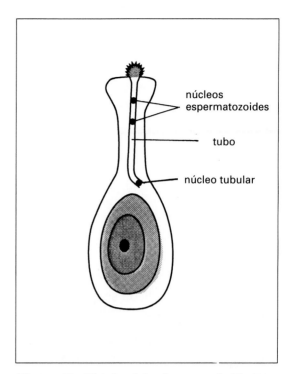

Figura B *El tubo del polen crece bajándose por el pistilo.*

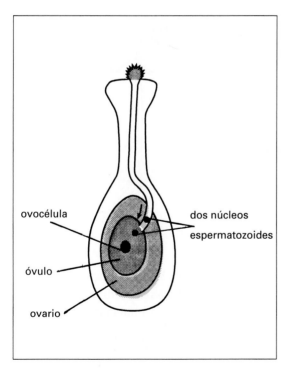

Figura C *Los núcleos espermatozoides entran en el ovario.*

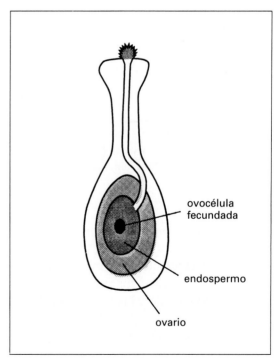

Figura D *Una célula de espermatozoide fecunda la ovocélula. La otra se une al resto del óvulo y llega a formar el endospermo.*

El embrión y el endospermo están encerrados en una piel protectora.

El embrión, el endospermo y la piel forman una semilla.

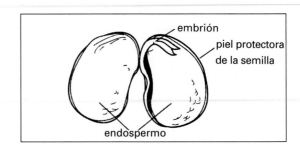

Figura E *Las partes de una semilla*

Una semilla desarrollada se quedará latente o inactiva hasta que se siembre.

Con la humedad, la tierra, el oxígeno y la temperatura propicios, la semilla brotará. Crecerá hasta llegar a ser una nueva planta.

Figura F

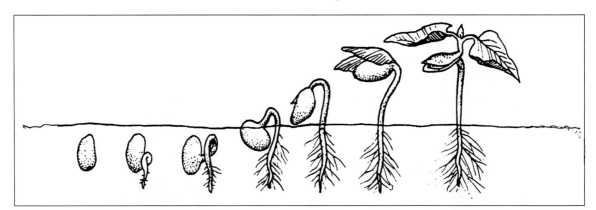

Figura G *De la semilla a la planta*

El embrión creciente se alimenta del endospermo hasta que eche hojas verdes. Luego, la planta puede fabricar sus propios alimentos. No importa cómo colocas la semilla en la tierra al sembrarla, el tallo y las hojas crecerán hacia arriba y las raíces crecerán hacia abajo.

Contesta las siguientes preguntas.

1. ¿Cuándo deja de alimentarse del endospermo un embrión? _____

    cuando echa hojas verdes

2. ¿Cuáles son las tres partes de una semilla? embrión, endospermo, piel protectora

¿QUÉ MUESTRA EL DIAGRAMA?

¿Puedes identificar las partes de una semilla?

Mira la Figura H. Identifica cada parte al escribir las letras correspondientes en los espacios en blanco.

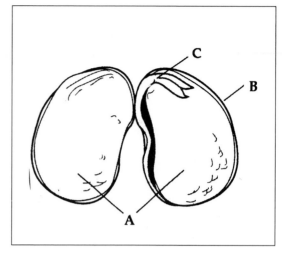

Figura H

a	**1.** endospermo
b	**2.** piel protectora
c	**3.** embrión

COMPLETA LA ORACIÓN

Completa cada oración con una palabra o una frase de la lista de abajo. Escribe tus respuestas en los espacios en blanco.

latente	alimentos	estigma
fecundación	embrión	endospermo
granito de polen	piel protectora	semilla
ovario y óvulo		

1. En las plantas, el gameto masculino es el ___granito de polen___.

2. La parte superior del pistilo, el ___estigma___, tiene una superficie pegajosa.

3. El granito de polen se mueve hacia abajo hasta entrar en el ___ovario y óvulo___.

4. Cuando se unen el espermatozoide y la ovocélula, sucede la ___fecundación___.

5. La ovocélula fecundada llega a ser un ___embrión___.

6. La alimentación almacenada en una semilla se llama el ___endospermo___.

7. Una ___piel protectora___ encierra al embrión y el alimento almacenado.

8. El embrión, el endospermo y la piel protectora forman la ___semilla___.

9. Si una semilla no se brota de inmediato, se queda ___latente___.

10. El embrión utiliza el endospermo hasta que pueda fabricar sus propios ___alimentos___.

HACER CORRESPONDENCIAS

Empareja cada término de la Columna A con su descripción en la Columna B. Escribe la letra correcta en el espacio en blanco.

	Columna A		Columna B
e	1. la ovocélula	a)	organismo joven
b	2. el granito de polen	b)	gameto masculino de una planta
a	3. el embrión	c)	alimentos para el embrión de la planta
c	4. el endospermo	d)	contiene los óvulos
d	5. el ovario	e)	gameto femenino

CIERTO O FALSO

En los espacios en blanco, escribe "Cierto" si la oración es cierta. Escribe "Falso" si la oración es falsa.

Cierto	1.	Los granitos de polen son los gametos masculinos.
Falso	2.	Dos núcleos espermatozoides fecundan una ovocélula.
Falso	3.	Un estigma es la parte superior de un estambre.
Falso	4.	Un estigma es resbaloso.
Cierto	5.	Una ovocélula se fecunda en un óvulo.
Cierto	6.	Una ovocélula fecundada de una planta llega a ser una semilla.
Falso	7.	El embrión de la planta es una planta de tamaño completo.
Falso	8.	Del endospermo crecen raíces y hojas.

PALABRAS REVUELTAS

A continuación hay varias palabras revueltas que has usado en esta lección. Pon las letras en orden y escribe tus respuestas en los espacios en blanco.

1. IGEMSAT — ESTIGMA
2. CAÉLUOLVO — OVOCÉLULA
3. MEBINRÓ — EMBRIÓN
4. ERCAFUND — FECUNDAR
5. ERMNEDOOSP — ENDOSPERMO

¿Qué es un fruto?

30

fruto: embrión de planta hinchado con una o más semillas maduras

LECCIÓN
30

¿Qué es un fruto?

¿Es verdura o fruta un tomate? La mayoría de las personas dirían que es una verdura. Pero en realidad el tomate es una fruta. Igual que un pimiento. Igual que un pepino. ¿Te sorprende esto?

¿Qué es un fruto? Empecemos con una definición. Un **fruto** es un ovario hinchado con una o más semillas maduras. Los frutos que comemos tal como los da la planta reciben el nombre de <u>frutas</u>.

Has aprendido que el polen entra en un pistilo para fecundar las ovocélulas que están en el ovario. Al fecundarse las ovocélulas, se forman las semillas.

Sucede algo importante a medida que se desarrolla la semilla (o las semillas). El ovario se hincha. Se hincha mucho. En realidad, el ovario puede hincharse hasta llegar a un tamaño centenares o miles de veces más grande que su tamaño original. El ovario grande tiene unas funciones importantes:

• Protege su semilla (o sus semillas) contra los insectos, las enfermedades y la intemperie.

• Ayuda a transportar las semillas a lugares donde pueden crecer.

El ovario grande y sus semillas se llama un fruto. Ya que algunas frutas tienen buen sabor, se las comen las personas y los animales. Hay otras frutas que no son buenas para comer. Hasta algunas son venenosas.

Así que, volvamos a la pregunta con que empezamos: ¿Es verdura o fruta un tomate? Un tomate es un ovario madurado con sus semillas. También lo es un pimiento y un pepino. Todos son <u>frutas</u>. Una <u>verdura</u> es cualquier otra parte de la planta que se puede comer.

LA FORMACIÓN DE UN FRUTO

Un ciruelo tiene flores en la primavera. Luego, se le crecen los frutos.

En las Figuras de A a D, se ve cómo se desarrolla la fruta del ciruelo. (Otras frutas se desarrollan de maneras semejantes.)

Contesta las preguntas después de examinar los diagramas y leer las explicaciones.

Figura A

Cada flor del ciruelo tiene un óvulo. Dentro del óvulo está una ovocélula. Un solo núcleo del polen fecunda el núcleo de la ovocélula.

1. ¿Puede polinizar a sí misma una flor del ciruelo? _____ sí _____

2. ¿Cómo lo sabes? ___ Es una flor completa. ___

3. ¿En qué parte de la flor se encuentra el óvulo? ___ en el ovario ___

Figura B

Dentro del ovario, la ovocélula fecundada se divide una y otra vez. Se está formando un embrión de la planta, junto con su endospermo.

4. ¿Cómo se llama un embrión de la planta y su endospermo? ___ una semilla ___

5. ¿Qué le pasa al ovario a medida que se desarrolla la semilla? ___ Se agranda o se hincha. ___

6. ¿Qué sucede a los pétalos poco después de la fecundación? ___ Se caen. ___

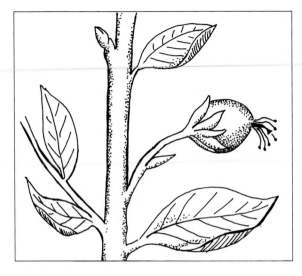

Figura C

La semilla sigue desarrollándose. El ovario sigue hinchándose.

7. Los estambres y el pistilo todavía están en la planta. ¿Puedes hallarlos? Dibuja una flecha para indicar dónde están. Marque la flecha con una etiqueta.

    Revise las flechas de los estudiantes.

8. ¿Qué crees que les va a pasar a los estambres y al pistilo? _____ Las respuestas variarán, pero pueden indicar que se van a caer.

Figura D

El ovario se hincha aún más. Las semillas se ponen maduras.

9. ¿Cómo se llama el ovario hinchado de una planta con su semilla (o sus semillas)? _____ un fruto

10. ¿Qué ha pasado con los estambres y el pistilo? _____ Se han caído.

¿CUÁNTAS SEMILLAS TIENE UN FRUTO?

El número de semillas depende

- del número de óvulos (ovocélulas) que hay en el ovario.
- del número de ovocélulas que se fecundan y
- del número de ovocélulas fecundadas que crecen bien.

IMPORTANTE

NO TODAS LAS OVOCÉLULAS SE FECUNDAN.

NO TODAS LAS OVOCÉLULAS FECUNDADAS LLEGAN A SER SEMILLAS.

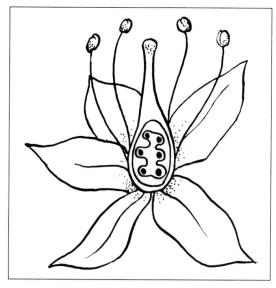

Figura E   *Una flor del manzano, mostrando el ovario con sus seis óvulos.*

Figura F   *Los óvulos produjeron un fruto con cinco semillas.*

Un ovario que tiene seis óvulos puede llegar a ser un fruto con seis semillas. Puede tener menos de seis semillas, pero no puede tener más de seis.

Figura G

Contesta estas preguntas.

1. Mira de nuevo la Figura D. ¿Cuántas semillas tiene una ciruela? _____1_____

2. Mira de nuevo la Figura A. ¿Cuántos óvulos tiene el ovario de una flor del ciruelo?_____1_____

¿Qué crees?

3. **a)** ¿Cuál tiene más óvulos, el ovario de una ciruela o el ovario de una sandía? _____el de la sandía_____

    b) ¿Cómo lo sabes? _____La fruta de_____ sandía tiene muchas semillas. Cada semilla se proviene de un óvulo.

203

TIPOS DE FRUTAS

Hay cuatro tipos de frutas. Dos de estos tipos son frutas carnosas y frutas secas.

• Los ovarios de frutas carnosas se llenan de agua y de material alimenticio. Son frutas "jugosas".

• Los ovarios de frutas secas no se llenan de agua. No son frutas jugosas. Algunas son muy duras.

Se enseñan varias frutas en la Figura H. Algunas son carnosas. Otras son secas. Algunas tienen muchas semillas. Otras tienen sólo una semilla. Examina las frutas. Luego, completa la tabla de la página 205.

Escoge los nombres de las frutas de la siguiente lista:

manzana	naranja	nuez del nogal
pera	guisante	bellota
durazno	cacahuate	

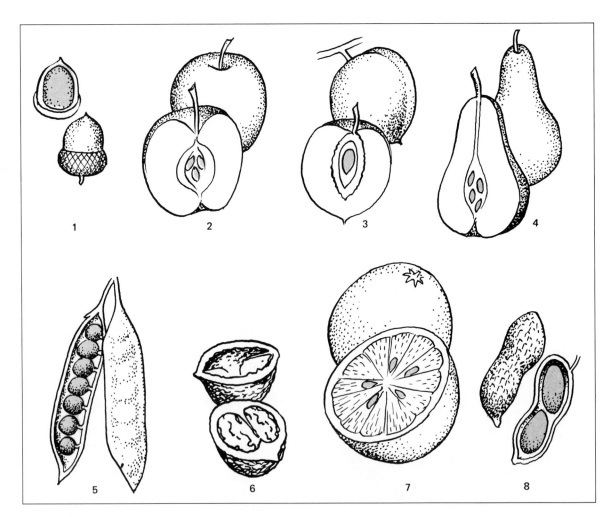

Figura H

	Nombre de la fruta	¿Carnosa o seca?	¿Cuántas semillas?
1.	bellota	seca	1
2.	manzana	carnosa	3
3.	durazno	carnosa	1
4.	pera	carnosa	4
5.	guisante	carnosa	7
6.	nuez del nogal	seca	1
7.	naranja	carnosa	5
8.	cacahuate	seca	2

COMPLETA LA ORACIÓN

Completa cada oración con una palabra o una frase de la lista de abajo. Escribe tus respuestas en los espacios en blanco.

carnosas   bellota   secas
pistilo   hincharse   ovario
germinar   ovocélula   fruto
durazno   granito del polen

1. Toda la parte femenina de una flor se llama el ___pistilo___ .

2. La parte del pistilo en que se encuentran los óvulos es el ___ovario___ .

3. Un óvulo produce una ___ovocélula___ .

4. Se fecunda el núcleo de la ovocélula por un solo núcleo del ___granito de polen___ .

5. Cuando se fecunda una ovocélula, su ovario empieza a ___hincharse___ .

6. Se refiere al ovario hinchado de la planta, junto con sus semillas maduras, como un ___fruto___ .

7. Un fruto está maduro cuando sus semillas pueden ___germinar___ .

8. Dos tipos de frutas son las frutas ___secas___ y las frutas ___carnosas___ .

9. Un ejemplo de una fruta seca es la ___bellota___ .

10. Un ejemplo de una fruta carnosa es el ___durazno___ .

HACER CORRESPONDENCIAS

Empareja cada término de la Columna A con su descripción en la Columna B. Escribe la letra correcta en el espacio en blanco.

	Columna A		Columna B
e	1. un fruto	a)	funciones de un fruto
a	2. proteger y ayudar a dispersar las semillas	b)	tipos de frutas
b	3. secas y carnosas	c)	gameto masculino
d	4. la ovocélula	d)	gameto femenino
c	5. el espermatozoide o polen	e)	"envase de semillas" de la naturaleza

AMPLÍA TUS CONOCIMIENTOS

En estos días puedes comprar algunas frutas que no existían antes. Son "combinaciones" de dos frutas diferentes pero relacionadas o emparentadas.

Por ejemplo, un "tangelo" es parte mandarina y parte pomelo (toronja).

Las personas ayudan a la naturaleza a crear esta fruta. ¿Cómo crees que lo hacen? __Las__

respuestas variarán. Acepte todas las respuestas lógicas. Para producir frutas como los

tangelos, las personas cruzan las ovocélulas y los granitos de polen de las diferentes frutas.

Figura I

¿Cómo se dispersan las semillas?

dispersión de semillas: esparcimiento de semillas en diferentes direcciones

LECCIÓN 31 | ¿Cómo se dispersanlas semillas?

¿Has oído decir alguna vez que "la manzana no se cae muy lejos del manzano"? Algunas veces las frutas con semillas se caen muy cerca de la planta madre.

¿Puedes imaginarte lo que pasaría si todas las semillas se cayeran cerca de su planta madre? Habría demasiadas plantas creciendo en un solo lugar. Dentro de poco no habría suficiente tierra, agua, oxígeno ni luz para todas. Sólo unas pocas podrían sobrevivir.

Se necesita el esparcimiento de semillas para asegurar que las plantas sobrevivan. Este esparcimiento de semillas se llama la **dispersión de semillas**. Se dispersan las semillas de varias formas. Éstas son las más importantes:

EL VIENTO Algunas plantas tienen frutos livianos y formados para que el viento los lleve. Por ejemplo, el fruto de los arces tiene "alas". Los frutos de los dientes de león tienen copetes como paracaídas.

LOS ANIMALES Los animales se comen muchos tipos de frutas, con las semillas y todo. Muchos tipos de semillas no se transforman por la digestión. Se quedan "sanos" e íntegros y todavía pueden germinar. A medida que los animales se vayan de un lugar a otro, expelen las semillas como desechos. Ésta es una forma en que los animales dispersan las semillas.

Los animales dispersan las semillas de otras formas también. Las cortezas de algunas frutas tienen partes pegajosas. Por ejemplo, el cardo ajonjero tiene espinas como ganchos. Estos cardos se pegan a la piel de animales que van pasando. Luego, se caen en otro lugar.

Algunos animales, como las ardillas, se llevan y entierran nueces para el invierno. Más tarde, algunas de las nueces germinan.

LAS PARTES EXPLOSIVAS Los ovarios de algunas frutas, como la amapola y el guisante, "se estallan" al madurarse. Las semillas salen disparadas y se caen a una distancia de la planta.

EL AGUA Algunos frutos que crecen cerca del agua pueden flotar. Al caerse las frutas en el agua, las corrientes las llevan a lugares de terreno muy lejos. Las semillas del coco y del loto se dispersan por el agua.

Examina las Figuras de A a G y contesta las preguntas acerca de cada dibujo.

semillas del algodoncillo

Figura A

Las frutas de arce, algodoncillo y diente de león tienen "ayudantes" que los ayudan a volar. ¿Por qué no necesitan "ayudantes" las frutas muy pequeñas?

Son tan livianas que el viento las lleva.

Figura B

Este pájaro se come bayas, con semillas y todo. ¿Qué pasará a las semillas?

Al moverse de un lugar a otro, el pájaro

las expelerán de su cuerpo como desechos.

Figura C

Con tiempo, ¿qué pasará con estos frutos del cardo ajonjero que están pegados a este perro?

Los frutos se caerán en otro lugar donde

las semillas pueden germinar.

Figura D

¿Qué les pasará a las semillas de bellota que tiene la ardilla?

Al irse de un lugar a otro, la ardilla las expelerán de su cuerpo como desechos. Luego, pueden germinar. O la ardilla las puede enterrar y las semillas pueden germinar donde estén enterradas.

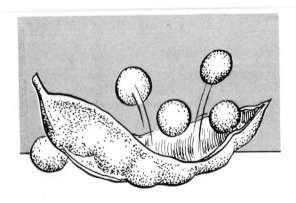

Cuando la vaina de los guisantes se seca, se tuerce. La vaina se rompe repentinamente. Los guisantes salen disparados.

Figura E

Figura F

Estas frutas "disparan" sus semillas al aire también.

Figura G

Los cocos son más livianos que el agua. ¿Cómo les ayuda su peso a dispersar las semillas?

Al caerse en el agua, los cocos pueden flotar. El agua los lleva a lugares donde hay tierra.

COMPLETA LA ORACIÓN

Completa cada oración con una palabra o una frase de la lista de abajo. Escribe tus respuestas en los espacios en blanco.

dispersión de semillas	oxígeno	cardo ajonjero
"se estalla"	tierra	luz del sol
viento	entierran	agua
germinar	dientes de león	arces
digestión	corrientes de agua	sobrevivir

1. Demasiadas plantas no pueden crecer en un lugar pequeño porque les faltan suficiente
   _____oxígeno_____ , _____tierra_____ , _____agua_____ y _____luz del sol_____ .

2. El esparcimiento de semillas se llama la _____dispersión de semillas_____ .

3. El _____viento_____ se lleva a muchos tipos de semillas por el aire.

4. Dos plantas con semillas llevadas por el viento son los _____arces_____
   y los _____dientes de león_____ .

5. El _____cardo ajonjero_____ tiene ganchos que se pegan a los animales.

6. Muchos tipos de semillas no están dañadas por la _____digestión_____ .

7. Una vaina de guisantes _____"se estalla"_____ cuando se madura para dispersar sus semillas.

8. A veces las ardillas _____entierran_____ las nueces. Algunas pueden _____germinar_____ .

9. Se dispersan las semillas de cocos por grandes distancias por medio de
   _____corrientes deagua_____ .

10. La dispersión de semillas es necesaria para ayudar a las plantas a _____sobrevivir_____ .

HACER CORRESPONDENCIAS

Empareja cada término de la Columna A con su descripción en la Columna B. Escribe la letra correcta en el espacio en blanco.

	Columna A		Columna B
d	1. la dispersión de semillas	a)	dispersadas por el agua
a	2. las semillas de cocos	b)	no daña muchos tipos de semillas
c	3. las semillas de diente de león	c)	dispersadas por el viento
e	4. las ardillas	d)	cualquier esparcimiento de semillas
b	5. la digestión	e)	ayudan a dispersar las bellotas

PALABRAS REVUELTAS

A continuación hay varias palabras revueltas que has usado en esta lección. Pon las letras en orden y escribe tus respuestas en los espacios en blanco.

1. UAGA   AGUA

2. LLETARAS   ESTALLAR

3. EMALSINA   ANIMALES

4. SÓPNISIDRE   DISPERSIÓN

5. ITNOVE   VIENTO

AMPLÍA TUS CONOCIMIENTOS

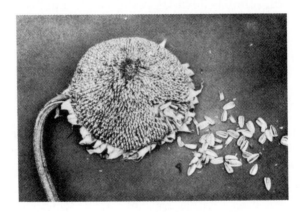

Figura H

Muchas especies de plantas producen muchas semillas más de lo necesario para asegurar la supervivencia de la especie. ¿Por qué se producen tantas semillas? Ayuda a asegurar la supervivencia de la especie porque no todas las semillas van a germinar y llegar a ser plantas nuevas.

¿Qué son tropismos?

32

geotropismo: respuesta de una planta a la fuerza de gravedad
hidrotropismo: respuesta de una planta al agua
fototropismo: respuesta de una planta a la luz
tropismo táctil: respuesta de una planta al tacto
tropismo: respuesta de plantas a los estímulos

LECCIÓN 32 | ¿Qué son los tropismos?

Las plantas no se mueven de un lugar a otro como los animales. Sin embargo, todas las plantas responden a estímulos. Un estímulo es un cambio en el medio ambiente que provoca una respuesta. Las respuestas de plantas a los estímulos se llaman **tropismos**. Una planta responde a un estímulo al crecer en una dirección determinada.

LA LUZ

Todas las plantas crecen en la dirección de la luz. ¿Te has fijado en que el tallo y las hojas crecen en la dirección del sol? La respuesta de una planta a la luz del sol se llama **fototropismo**. Foto- quiere decir "luz".

En algunas plantas, los pétalos de su flor se abren por las mañanas cuando sale el sol. Cuando el sol se pone, los pétalos vuelven a cerrarse. Los pétalos reaccionan a la luz que viene del sol.

LA GRAVEDAD

¿Te has preguntado alguna vez por qué los agricultores no se preocupan de cómo se colocan las semillas al sembrarlas? Los agricultores no tienen que preocuparse porque las raíces de todas las plantas crecen hacia abajo y los tallos crecen hacia arriba. La dirección en que crecen las raíces y los tallos es una respuesta de la planta a la fuerza de la gravedad. Las raíces crecen hacia abajo como respuesta a la gravedad. Los tallos crecen hacia arriba. La respuesta de una planta a la fuerza de la gravedad se llama **geotropismo**. Geo- quiere decir "tierra".

EL AGUA

Las raíces de una planta también crecen en la dirección del agua. Crecer en la dirección del agua es **hidrotropismo**. Hidro- quiere decir "agua". En la mayoría de las plantas este tropismo no es muy fuerte. Sucede solamente cuando el agua toca las raíces.

EL TACTO

Algunas plantas responden cuando se tocan. Por ejemplo, la mimosa se pliega las hojas cuando se las tocan. Las vides de uvas frecuentemente se enroscan alrededor del palo de una cerca o crecen adheridas a una pared. La respuesta de una planta al tacto se llama el **tropismo táctil**.

¿QUÉ MUESTRAN LOS DIBUJOS?

Cada dibujo enseña un tipo de tropismo. Averigua cuál de los tropismos se muestra en cada dibujo. Escribe tus respuestas en los espacios en blanco.

Figura A

1. ¿TROPISMO? hidrotropismo

Figura B

2. ¿TROPISMO? fototropismo

Figura C

3. ¿TROPISMO? tropismo táctil

Figura D

4. ¿TROPISMO? geotropismo

INTENTA ESTE EXPERIMENTO

Consigue una planta en maceta.

Coloca la planta cerca de una ventana por la que entra mucha luz del sol.

Coloca la planta de manera que las hojas y/o las flores estén en la dirección contraria a la luz.

Observa la planta cada día por las dos semanas que entran.

Figura E

CONCLUSIONES

1. ¿Qué sucedió con la posición de las hojas y las flores de la planta? _Crecieron en la dirección de la luz del sol._

2. ¿Qué tipo de tropismo es? _fototropismo_

3. ¿Qué significa el prefijo "foto-"? _luz_

UNA PLANTA RARA

Algunas plantas responden inmediatamente a los estímulos. Cuando un insecto toca las hojas del atrapamoscas, las hojas de la planta se cierran rápidamente con el insecto por dentro. Así, el insecto queda atrapado o apresado en las hojas de la planta.

Luego, la hoja emite sustancias químicas especiales. Las sustancias químicas digieren las partes blandas del insecto. Después de digerir el insecto, las hojas vuelven a abrirse.

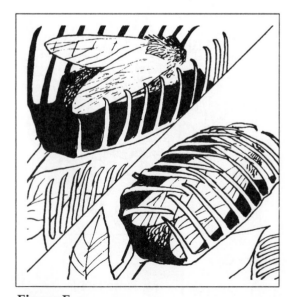

Figura F

CIERTO O FALSO

En los espacios en blanco, escribe "Cierto" si la oración es cierta. Escribe "Falso" si la oración es falsa.

___Cierto___ **1.** La respuesta de una planta a la luz se llama fototropismo.

___Cierto___ **2.** Los pétalos de una flor se abren cuando sale el sol.

___Falso___ **3.** Las raíces de una planta crecen en la dirección contraria a la del agua.

___Cierto___ **4.** Geo- quiere decir "tierra".

___Falso___ **5.** La planta de la mimosa abre las hojas cuando se las toca.

___Falso___ **6.** Para la mayoría de las plantas, el hidrotropismo es muy fuerte.

___Cierto___ **7.** Las raíces crecen hacia abajo como respuesta a la fuerza de la gravedad.

___Cierto___ **8.** Un atrapamoscas responde inmediatamente al tacto.

___Falso___ **9.** La palabra táctil se refiere al agua.

___Cierto___ **10.** Todas las plantas crecen en la dirección de la luz del sol.

PALABRAS REVUELTAS

A continuación hay varias palabras revueltas que has usado en esta lección. Pon las letras en orden y escribe tus respuestas en los espacios en blanco.

1. AUGA　　　　　　　　　　　AGUA

2. POMOTRIS　　　　　　　　TROPISMO

3. ZUL　　　　　　　　　　　　LUZ

4. ÍRSEAC　　　　　　　　　　RAÍCES

5. REGADVAD　　　　　　　　GRAVEDAD

CIENCIA *EXTRA*

Arquitecto de jardines

¿Te gusta cultivar plantas y flores? ¿Te interesa una profesión que combina el arte y las ciencias? Si te gusta el trabajo al aire libre y el de adentro, quizá una carrera de arquitecto de jardines te convenga. Ser arquitecto de jardines es sólo una de las carreras en el campo de la horticultura. La horticultura es el estudio de las plantas.

Los arquitectos de jardines diseñan y desarrollan el terreno para el uso de las personas. Se ocupan del medio ambiente y tienen que planificar el uso mejor y más práctico del terreno.

A veces los arquitectos de jardines crean hermosos ambientes al aire libre. Sus proyectos varían. Un arquitecto de jardines puede diseñar todo un parque metropolitano o el plan para un nuevo campo de golf. O puede diseñar algo tan pequeño como el jardín de una sola familia.

También los arquitectos de jardines trabajan dentro de edificios. Diseñan jardines o áreas con plantas dentro de oficinas, centros comerciales y pasillos de hoteles.

Los arquitectos de jardines se ocupan de todas las etapas de la planificación. Estudian el área, el clima, la temperatura, el abastecimiento de agua y la vegetación del área. Luego, seleccionan las plantas o las flores que se cultivarían mejor.

Arquitectos de jardines interiores también pueden trabajar con los arquitectos de edificios. Juntos, elaboran diseños que se aprovechen de la luz solar y del agua disponibles.

Para ser arquitecto de jardines, te deben gustar las clases de ciencias, sobre todo la de biología. También ayuda tener habilidades artísticas y buen "ojo" para el diseño. Muchas universidades locales ofrecen programas de dos años de la horticultura. Muchas personas siguen sus estudios para los títulos avanzados.

¿Qué son los invertebrados?

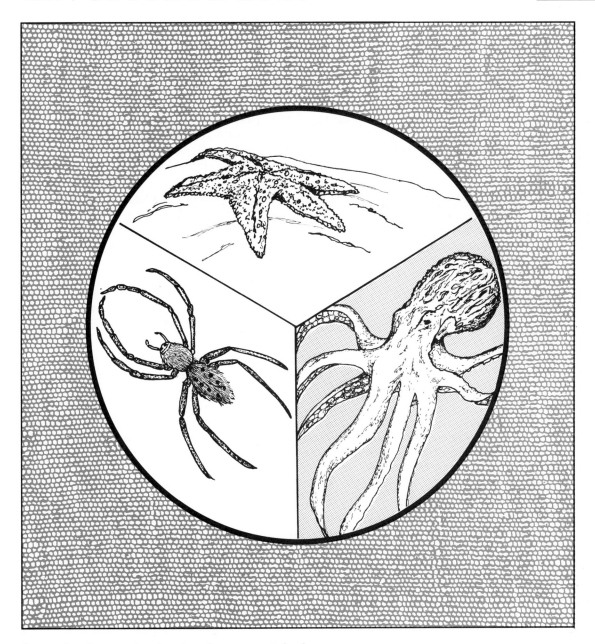

invertebrados: animales sin columnas vertebrales

Los animales se encuentran en casi todas partes del mundo. Viven en lugares donde hace muchísimo calor. Viven en lugares donde hace muchísimo frío. Viven en las profundidades del océano y en las montañas altas. Hasta algunos animales viven debajo de la tierra.

Algunos animales son pequeños. Otros, como la ballena y el elefante, son grandes.

Las diferencias entre los animales pueden ser muy grandes. Pero todos los animales se parecen de ciertas formas.

• Los animales consisten en muchas células.

• Las células animales no tienen una pared celular.

• Los animales no fabrican sus propios alimentos. No lo pueden hacer porque no tienen clorofila en sus células. Los animales tienen que buscar alimentos por fuera del cuerpo.

Se clasifican los animales en dos grupos principales. Un grupo consiste en los animales con columnas vertebrales. El otro grupo consiste en los animales sin columnas vertebrales.

Los animales sin columnas vertebrales se llaman **invertebrados**. La mayoría de los animales son invertebrados. En realidad, los invertebrados forman el 97 por ciento del reino animal. Ejemplos de invertebrados incluyen las esponjas, las medusas, las almejas, las estrellas de mar, los gusanos y los insectos.

NOMBRE COMÚN	EJEMPLOS		CARACTERÍSTICAS IMPORTANTES
ESPONJAS			• cuerpos como bolsas • la mayoría viven adheridas a objetos en el suelo del océano • tienen muchos poros (huecos) por los que fluye el agua
CNIDARIOS	medusas corales hidras		• tienen tentáculos • todos tienen células urticantes • viven en el agua
PLATELMINTOS	tenias trematodos planarios		• cuerpos largos y planos, como cintas • algunos consiguen alimentarse al vivir dentro de otro organismo, absorbiendo los alimentos de ese organismo
ASCÁRIDES	anquilostomas		• cuerpos largos y delgados, como tubos • algunos consiguen alimentarse al vivir dentro de otro organismo, absorbiendo los alimentos de ese organismo
GUSANOS ANÉLIDOS	lombrices sanguijuelas		• cuerpos largos, como tubos, que se dividen en segmentos (secciones) • los organismos más simples con un sistema nervioso bien desarrollado
MOLUSCOS	caracoles almejas calamares		• cuerpos blandos • muchos tienen conchas • la mayoría viven en el océano; algunos viven en el agua dulce y en la tierra
EQUINODERMOS	estrellas de mar erizos de mar holoturias		• generalmente tienen cinco brazos que se extienden de una sección corporal central • tienen un esqueleto interno formado por espinas • viven solamente en el océano
ARTRÓPODOS	arañas langostas ciempiés saltamontes		• tienen patas articuladas • tienen por fuera carapacho duro • tienen cuerpos con segmentos • viven en la tierra y en el agua

¿Qué tienen los vertebrados que no tienen los invertebrados?

una columna vertebral

Examina las Figuras de A a H y refiérete a la tabla de la página 221. Luego, contesta las preguntas.

Figura A

Figura B

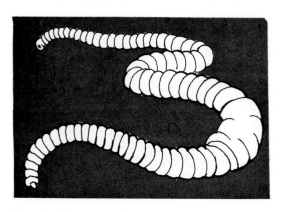

Figura C

Figura D

Figura E

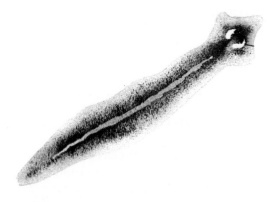

Figura F

Figura G

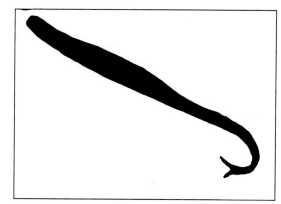

Figura H

1. ¿Tienen columna vertebral los animales de los dibujos? _____no_____
   sí, no

2. ¿Toman alimentos que vienen por fuera de su cuerpo? _____sí_____
   sí, no

3. ¿Están constituidos estos animales por muchas células? _____sí_____
   sí, no

4. ¿Hay una pared celular en sus células? _____no_____
   sí, no

5. ¿Contienen clorofila sus células? _____no_____
   sí, no

6. Estos animales son _____invertebrados_____ .
   vertebrados, invertebrados

7. ¿La mayoría de todos los animales son invertebrados? _____sí_____
   sí, no

8. ¿Cuál de los animales ilustrados es el organismo más simple que tiene un sistema
   nervioso bien desarrollado? _____la lombriz_____

9. ¿Cuál de los animales es molusco? _____el caracol_____

10. ¿Cuál de los animales tiene patas articuladas? _____el saltamontes_____

11. ¿Cuál de los animales tiene células urticantes? _____la medusa_____

12. ¿Cuál de los animales tiene el cuerpo largo y plano? _____acepte el platelminto o el planario_____

13. ¿Cuál de los animales tiene poros? _____la esponja_____

14. ¿Cuál de los animales tiene el cuerpo largo como un tubo que *no* se divide en
    segmentos? _____la ascáride_____

15. ¿Cuál de los animales es equinodermo? _____la estrella de mar_____

Los atrópodos forman el filo más grande del reino animal. Además de los insectos, este filo también incluye animales tales como las langostas, las arañas y las garrapatas, los ciempiés y los milpiés.

Lee la tabla a continuación. En esta tabla hay una lista de los grupos principales de artrópodos. También describe sus características importantes.

GRUPO PRINCIPAL	CARACTERÍSTICAS IMPORTANTES
Ciempiés	Los ciempiés tienen cuerpos planos con segmentos. Cada segmento del cuerpo tiene dos patas.
Milpiés	Los milpiés tienen cuerpos redondos con muchos segmentos. Cada segmento del cuerpo, menos los primeros cuatro, tiene cuatro patas.
Crustáceos Incluyen: langostas, camarones, cangrejos y cangrejos de río	Los crustáceos tienen dos partes principales del cuerpo, dos pares de antenas, pinzas grandes y ocho patas. La mayoría de los crustáceos viven en el agua.
Arácnidos Incluyen: arañas, alacranes y garrapatas	Los arácnidos tienen cuerpos en dos secciones y ocho patas.
Insectos	Los insectos tienen cuerpos en tres secciones y seis patas. Algunos insectos tienen alas.

HACER CORRESPONDENCIAS

Empareja cada término de la Columna A con su descripción en la Columna B. Escribe la letra correcta en el espacio en blanco.

Columna A		Columna B	
d	1. los arácnidos	a)	tienen cuerpos en tres secciones
e	2. los ciempiés	b)	la mayoría viven en el agua
c	3. los milpiés	c)	tienen cuerpos redondos con muchos segmentos
a	4. los insectos	d)	incluyen las garrapatas
b	5. los crustáceos	e)	tienen cuerpos planos con muchos segmentos

CLASIFICA EL ARTRÓPODO

Mira los siguientes dibujos de artrópodos. ¿A qué grupo de artrópodos pertenece cada organismo? Escribe el nombre del grupo en el espacio en blanco debajo de cada dibujo.

Figura I

1. ___Crustáceos___

Figura J

2. ___Arácnidos___

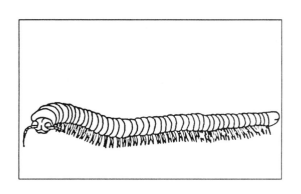

Figura K

3. ___Milpiés___

Figura L

4. ___Ciempiés___

Figura M

5. ___Insectos___

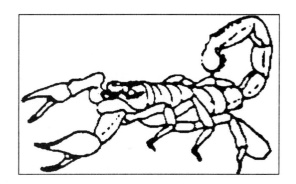

Figura N

6. ___Arácnidos___

¿PLANTA O ANIMAL?

Completa la siguiente tabla al escribir una marca en la casilla o las casillas correctas para cada característica.

CARACTERÍSTICA	PLANTAS	ANIMALES
1. organismos vivos	√	√
2. células no tienen clorofila		√
3. células no tienen pared celular		√
4. fabrican sus propios alimentos	√	
5. células tienen clorofila	√	
6. formadas por muchas células	√	√
7. células tienen pared celular	√	
8. toman alimentos por fuera del cuerpo		√
9. la mayoría se mueven de un lugar a otro		√
10. llevan a cabo todos los procesos de vida	√	√

CONTESTACIONES MÚLTIPLES

En cada espacio en blanco, escribe la letra de la palabra que mejor termine cada oración.

___c___   **1.**   La mayoría de los animales son

       a) protistas.   **b)** vertebrados.

       c) invertebrados.   **d)** esponjas.

___b___   **2.**   Ejemplos de invertebrados incluyen

       a) pájaros.   **b)** insectos.

       c) conejos.   **d)** peces.

___a___   **3.**   Las estrellas de mar pertenecen al mismo grupo de invertebrados que

       a) los erizos de mar.   **b)** los saltamontes.

       c) las tenias.   **d)** las medusas.

___d___   **4.**   El filo más grande del reino animal es de

       a) las ascárides.   **b)** las esponjas.

       c) los moluscos.   **d)** los artrópodos.

___c___   **5.**   Los caracoles y las almejas son

       a) esponjas.   **b)** planarios.

       c) moluscos.   **d)** cnidarios.

¿Cómo se desarrollan los insectos?

capullo: envoltura protectora alrededor de la crisálida
larva: etapa del desarrollo del insecto en que se parece a un gusano
metamorfosis: cambios durante las etapas de desarrollo de un insecto
ninfa: insecto joven que se parece al adulto
crisálida: etapa latente durante la metamorfosis completa

LECCIÓN 34 | ¿Cómo se desarrollan los insectos?

Sin lugar a dudas, los insectos forman el grupo más grande de los invertebrados. Se han clasificado aproximadamente un millón de especies de insectos hasta la fecha, y cada año los científicos descubren otros miles de especies de insectos. Algunos científicos creen que existen tantas como 10 millones de especies de insectos. Y a cada especie pertenecen miles de millones de insectos. ¿Puedes imaginarte cuántos insectos hay en total?

Has aprendido sobre muchas de las características de insectos en la Lección 33. Ahora aprenderás cómo se desarrollan.

Todos los insectos nacen de huevos. Cuando un insecto sale de su huevo, generalmente no se parece al insecto adulto. Los insectos llegan a ser adultos por medio de la **metamorfosis**. La metamorfosis significa la transformación a una forma nueva. Hay dos clases de metamorfosis: la completa y la incompleta.

LA METAMORFOSIS COMPLETA

¿Has visto alguna vez una mariposa entre las flores? Poco antes, era una oruga que se arrastraba. La oruga cambió completamente de forma para hacerse mariposa. Pasó por una metamorfosis completa.

Algunos insectos que se desarrollan por medio de la metamorfosis completa son las mariposas, los zancudos, las moscas y las abejas. Estos insectos pasan por cuatro etapas a medida que crezcan: huevo, **larva**, **crisálida** y adulta. Del huevo nace una larva (como la oruga). Luego la larva se transforma en crisálida. Durante esta etapa, muchos insectos hacen un **capullo**. Por fin, sale el adulto o el imago. El adulto no se parece en nada a la larva. Los adultos se aparean y el ciclo se repite de nuevo.

LA METAMORFOSIS INCOMPLETA

Durante la metamorfosis incompleta, el cambio de la etapa juvenil a la etapa adulta no es tan grande. Hay solamente tres etapas de desarrollo: huevo, **ninfa** y adulto.

Los saltamontes se desarrollan por medio de la metamorfosis incompleta. De los huevos del saltamontes nacen las ninfas. La **ninfa** es un saltamontes joven. Una ninfa se parece al adulto, pero es más pequeña. Tiene la cabeza grande, pero no tiene alas. Se le salen las alas a medida que la ninfa crezca.

Una ninfa se quita o muda la piel como cinco veces a medida que crezca. Después de la primera muda, se le salen alas pequeñas. Con cada muda, las alas se agrandan. La última muda resulta en un saltmontes adulto con alas completas.

Examina la Figura A. Luego, contesta las preguntas.

LA METAMORFOSIS COMPLETA

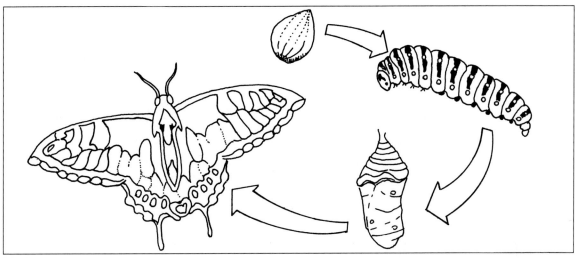

Figura A

1. ¿Qué tipo de animal es la mariposa? _____insecto_____

2. Las mariposas se reproducen por la reproducción _____sexual_____ .
   sexual, asexual

3. ¿Dónde pone los huevos fecundados la mariposa hembra? _____en las hojas_____

4. Algunos animales cambian de forma al desarrollarse en adultos. ¿Cómo se llama

   este cambio? _____la metamorfosis_____

5. **a)** ¿Se desarrollan las mariposas por medio de la metamorfosis? _____sí_____

   b) ¿Qué tipo de metamorfosis? _____la completa_____

   c) Escribe las etapas de este desarrollo. _____huevo_____ _____larva_____

   _____crisálida_____ _____adulto_____

6. ¿Son parecidas la etapa de larva y la de adulto? _____no_____

7. ¿Son parecidas la etapa de crisálida y la de adulto? _____no_____

8. ¿Cómo se llama popularmente la etapa de crisálida de la mariposa? _____capullo_____

9. ¿Cómo se llama popularmente la etapa de larva de la mariposa? _____oruga_____

10. Una mariposa muda la piel solamente una vez.

    a) ¿En qué etapa es la muda de la mariposa? _____la crisálida_____

    b) ¿Al mudar, en qué se transforma la mariposa? _____en adulto_____

Examina la Figura B. Luego, contesta las preguntas.

LA METAMORFOSIS INCOMPLETA

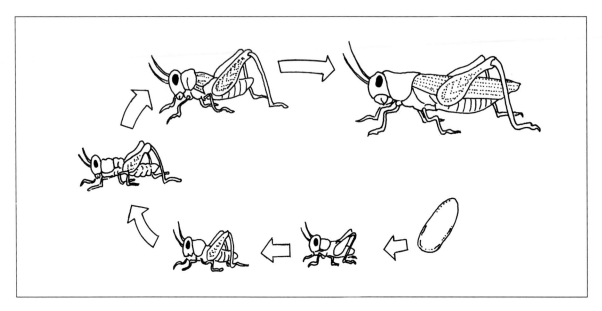

Figura B

1. ¿Qué tipo de animal es el saltamontes? _____insecto_____

2. Los saltamontes se reproducen por la reproducción _____sexual_____ .
   sexual, asexual

3. ¿Dónde pone los huevos fecundados la hembra de saltamontes? ____en la tierra____

4. **a)** ¿Se desarrollan los saltamontes por medio de la metamorfosis? _____sí_____

   b) ¿Qué tipo de metamorfosis? ____la incompleta____

   c) Escribe las etapas de la metamorfosis incompleta. _____huevo_____
   _____ninfa_____   _____adulto_____

5. ¿Son parecidas la etapa de ninfa y la de adulto? _____sí_____

6. Una ninfa es ____más pequeña____ que un adulto.

7. Una ninfa no tiene _____alas_____ .

8. Una ninfa tiene una cabeza _____grande_____ .
   grande, pequeña

9. Una ninfa se deshace de la piel varias veces. ¿Cuál es una palabra que significa "deshacerse" de la piel? _____mudar_____

10. La ninfa de saltamontes crece de tamaño. ¿Qué le salen al deshacerse de la piel por primera vez? _____alas_____

COMPLETA LA ORACIÓN

Completa cada oración con una palabra o una frase de la lista de abajo. Escribe tus respuestas en los espacios en blanco.

cabeza   adulto   insectos   completa
no   incompleta   oruga   alas
metamorfosis   capullo   huevos
muda la piel   ninfas

1. Durante la etapa de crisálida, muchos insectos hacen un _____capullo_____ .

2. Los insectos nacen de _____huevos_____ .

3. Los insectos cambian de forma a medida que crezcan. Se llama la _____metamorfosis_____ .

4. Huevo, larva, crisálida y adulto son las etapas de la metamorfosis _____completa_____ .

5. Las etapas de larva y de crisálida _____no_____ se parecen a la etapa adulta.

6. Huevo, ninfa y adulto son las etapas de la metamorfosis _____incompleta_____ .

7. Una ninfa se parece al _____adulto_____ .

8. Una ninfa _____muda la piel_____ aproximadamente cinco veces.

9. Una ninfa tiene una _____cabeza_____ grande, pero no tiene _____alas_____ .

10. Los _____insectos_____ son el grupo más grande de los invertebrados.

11. De los huevos de saltamontes nacen _____ninfas_____ .

12. Durante la etapa de larva de la mariposa, el organismo se llama una _____oruga_____ .

HACER CORRESPONDENCIAS

Empareja cada término de la Columna A con su descripción en la Columna B. Escribe la letra correcta en el espacio en blanco.

Columna A	Columna B
__d__ 1. mudar	a) la etapa de larva de la mariposa
__a__ 2. la oruga	b) saltamontes joven
__b__ 3. la ninfa	c) etapas de metamorfosis incompleta
__c__ 4. huevo, ninfa, adulto	d) deshacerse de la piel
__e__ 5. huevo, larva, crisálida, adulto	e) etapas de metamorfosis completa

COMPLETA LA TABLA

Completa la tabla al escribir la etapa de desarrollo para cada dibujo. Luego, ordena cada etapa en el orden correcto de desarrollo de A a D.

		Etapa	Orden del desarrollo
1.		crisálida	C
2.		adulto	D
3.		huevo	A
4.		larva	B

PALABRAS REVUELTAS

A continuación hay varias palabras revueltas que has usado en esta lección. Pon las letras en orden y escribe tus respuestas en los espacios en blanco.

1. MORSIFOTEMAS   METAMORFOSIS

2. MAPLETCO   COMPLETA

3. VARAL   LARVA

4. LUDATO   ADULTO

5. ANFIN   NINFA

¿Qué son los vertebrados?

35

endoesqueleto: esqueleto interno
vértebra: cada uno de los huesos que forman la columna vertebral
vertebrados: animales que tienen columnas vertebrales

LECCIÓN 35

¿Qué son los vertebrados?

¿Qué tienen en común los peces dorados, las ranas, las tortugas, los petirrojos y las personas? Todos son **vertebrados**. Los vertebrados forman uno de los dos grupos principales de animales. ¿Qué es el otro grupo?

Los vertebrados son animales con <u>columnas vertebrales</u>. La columna vertebral protege la <u>médula vertebral</u>. La médula vertebral consiste en muchos nervios. Todos los vertebrados tienen una cuerda nerviosa. La columna vertebral también ayuda a sostener el animal.

Los vertebrados también tienen un esqueleto <u>dentro</u> del cuerpo. El esqueleto interno se llama el **endoesqueleto**. El endoesqueleto protege a todos los órganos internos y sostiene el cuerpo.

Hay cinco grupos principales de vertebrados. Son los peces, los anfibios, los reptiles, las aves y los mamíferos. Probablemente puedes nombrar algunos tipos de peces y aves. Pero, ¿puedes distinguir entre los animales que son anfibios, reptiles o mamíferos? Las salamandras, las ranas y los sapos son anfibios. Dos tipos de reptiles son los cocodrilos y los caimanes. Los dinosaurios fueron reptiles, también. Los canguros, los perros, los gatos, los elefantes y los gorilas son solamente algunos de los muchos tipos diferentes de mamíferos. ¿Qué otros mamíferos puedes nombrar?

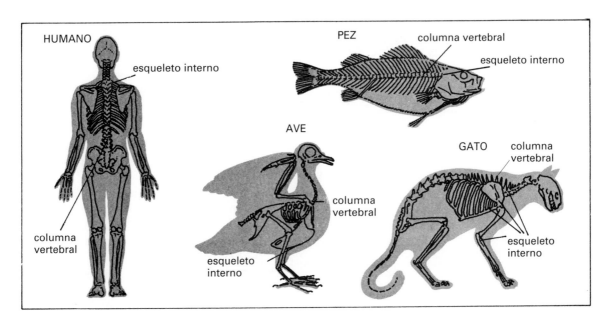

Figura A

1. Mira la Figura A. Estos animales son _____vertebrados_____ .

vertebrados, invertebrados

2. ¿Qué tiene cada uno de estos animales a lo largo del centro de la espalda?

columna vertebral

3. La columna vertebral es parte del _____esqueleto_____ interno.

4. Se puede clasificar cualquier animal que tiene columna vertebral y un esqueleto
   interno como un _____vertebrado_____ .

vertebrado, invertebrado

5. La columna vertebral protege la _____médula espinal_____ .

AHORA, INTENTA ESTO

Puedes tocar tu columna vertebral.

Para buscar la columna vertebral, pon los dedos en el centro de la espalda y muévelos hacia arriba y hacia abajo. Cada abultamiento que sientes es una **vértebra**. La columna vertebral consiste en huesos pequeños que se llaman vértebras.

¿Por dónde se extiende la columna vertebral?

desde el cuello hasta los huesos de la cadera

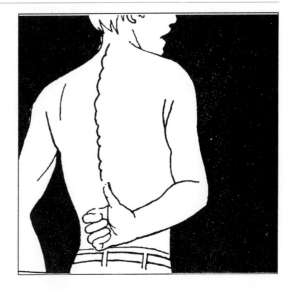

Figura B

NOMBRE COMÚN	EJEMPLOS	CARACTERÍSTICAS IMPORTANTES
PECES		• viven completamente en el agua • adquieren el oxígeno disuelto en el agua a través de agallas o branquias • son de sangre fría • la mayoría ponen huevos • fecundación externa
ANFIBIOS		• viven parte de la vida en el agua y parte en la tierra • experimentan la metamorfosis (Ve la Lección 18.) • en el agua, aspiran por medio de branquias; en la tierra, por medio de pulmones • son de sangre fría • tienen patas palmeadas • piel húmeda y lisa • ponen huevos • la mayoría se fecundan externamente
REPTILES		• viven principalmente en la tierra • aspiran por medio de pulmones • son de sangre fría • tienen piel seca con láminas o escamas • la mayoría ponen huevos de cáscara dura • fecundación interna
AVES		• viven en la tierra • aspiran por medio de pulmones • son de sangre caliente • cuerpo cubierto de plumas • tienen huesos livianos • ponen huevos de cáscara dura • fecundación interna
MAMÍFEROS		• mayoría viven en la tierra • aspiran por medio de pulmones • son de sangre caliente • cuerpo cubierto de pelo • para la mayoría, las crías se desarrollan completamente dentro del cuerpo de la madre • producen leche para amamantar las crías

Utiliza lo que has leído acerca de los vertebrados y la tabla de la página 236 para contestar las siguientes preguntas sobre los vertebrados.

1. ¿Cuáles de los grupos de vertebrados tienen columna vertebral? Todos los vertebrados tienen columna vertebral.

2. ¿Cuáles son dos funciones de la columna vertebral? Protege la médula espinal; ayuda a sostener el animal.

3. El esqueleto interno de un vertebrado se llama endoesqueleto .
    dermatoesqueleto, endoesqueleto

4. ¿Cuáles son los cinco grupos principales de los vertebrados? peces, anfibios, reptiles, aves, mamíferos

5. ¿Cuáles son los únicos vertebrados que

    a) tienen pelo? mamíferos

    b) tienen plumas? aves

    c) pueden respirar en el agua y sobre la tierra? anfibios

    d) amamantan las crías con leche? mamíferos

6. ¿Cuáles de los vertebrados

    a) son de sangre caliente? aves y mamíferos

    b) son de sangre fría? peces, anfibios y reptiles

7. ¿Cuáles de los vertebrados solamente aspiran por medio de agallas o branquias?
    peces

8. ¿Cuáles de los vertebrados tienen

    a) la fecundación interna? reptiles, aves, mamíferos

    b) la fecundación externa? peces y anfibios

9. ¿Cuáles de los vertebrados se cubren de láminas duras? reptiles

10. ¿En cuál de los vertebrados se desarrollan las crías dentro del cuerpo de la madre?
    mamíferos

En la actualidad, los mamíferos son uno de los grupos de animales más exitosos de la tierra. En realidad, estamos ahora en la Época de los Mamíferos.

Los científicos clasifican los mamíferos en tres grupos principales. Se agrupan los mamíferos de acuerdo con la forma en que se desarrollan las crías.

Los mamíferos que ponen huevos

Probablemente no pensaste que los mamíferos ponen huevos, pero algunos sí lo hacen. El ornitorrinco y el oso hormiguero son dos tipos de mamíferos que ponen huevos. Las crías se desarrollan dentro de los huevos que tienen cáscara dura.

Figura C *Mamíferos que ponen huevos*

Mamíferos con bolsas

En los mamíferos con bolsas, las crías nacen durante una etapa temprana del desarrollo. No están completamente desarrolladas. Las crías terminan su desarrollo dentro de una bolsa de la madre. Los canguros, las zarigüeyas y las coalas son mamíferos con bolsas.

Figura D *Mamíferos con bolsas*

Los mamíferos placentarios

El grupo más grande de los mamíferos es el de los mamíferos placentarios. Estos mamíferos dan a luz a crías que se desarrollan por completo dentro del cuerpo de la madre. ¿Por qué se llaman "placentarios" a estos mamíferos? Las crías se unen a la madre por medio de un órgano como una bolsa. Este órgano se llama la placenta. La placenta alimenta al mamífero en desarrollo. También transporta hacia afuera los desechos.

Figura E *Mamíferos placentarios*

MÁS SOBRE LOS MAMÍFEROS

Mira la siguiente tabla. En la tabla hay una lista de los grupos principales de mamíferos placentarios. También incluye nombres de los animales que pertenecen a cada grupo.

NOMBRE COMÚN	EJEMPLOS
Mamíferos que comen insectos	topos, musarañas
Mamíferos que vuelan	murciélagos
Mamíferos sin dientes	armadillos, osos hormigueros, perezosos
Mamíferos roedores	roedores, como ratones y castores
Mamíferos como roedores	conejos, liebres
Mamíferos acuáticos	ballenas, delfines, marsopas, manatíes
Mamíferos con trompas	elefantes africanos, elefantes asiáticos
Mamíferos carnívoros	perros, osos, focas, morsas
Mamíferos ungulados (con pezuñas)	caballos, vacas, camellos
Primates	monos, gorilas, humanos

CIERTO O FALSO

En los espacios en blanco, escribe "Cierto" si la oración es cierta. Escribe "Falso" si la oración es falsa.

Falso   **1.** Los mamíferos con bolsas ponen huevos.

Falso   **2.** Los topos comen plantas.

Cierto   **3.** Los murciélagos son los mamíferos que pueden volar.

Falso   **4.** El grupo más grande de los mamíferos es el de los mamíferos que ponen huevos.

Cierto   **5.** Los caballos y los camellos son mamíferos ungulados.

Falso   **6.** Los mamíferos acuáticos aspiran por sus agallas.

Cierto   **7.** Los monos y los humanos son primates.

Cierto   **8.** La placenta es un órgano como una bolsa.

Cierto   **9.** Las personas son mamíferos placentarios.

Cierto   **10.** Los canguros y las zarigüeyas son mamíferos con bolsas.

CONVERSIONES MÉTRICAS-INGLESAS

	Sistema métrico al inglés	Sistema inglés al métrico
Longitud	1 kilómetro = 0.621 milla	1 milla = 1.61 km
	1 metro = 3.28 pies	1 pie = 0.305 m
	1 centímetro = 0.394 pulgada (pulg)	1 pulg = 2.54 cm
Área	1 metro cuadrado = 10.763 pies cuadrados	$1\ pie^2 = 0.0929\ m^2$
	1 centímetro cuadrado = 0.155 pulgada cuadrada	$1\ pulg^2 = 6.452\ cm^2$
Volumen	1 metro cúbico = 35.315 pies cúbicos	$1\ pie^3 = 0.0283\ m^3$
	1 centímetro cúbico = 0.0610 pulgada cúbica	$1\ pulg^3 = 16.39\ cm^3$
	1 litro = .2642 galón (gal)	1 gal = 3.79 L
	1 litro = 1.06 cuartos	1 cuarto = 0.94L
Masa	1 kilogramo = 2.205 libras (lb)	1 lb = 0.4536 kg
	1 gramo = 0.0353 onza (oz)	1 oz = 28.35 g
Temperatura	Celsio = 5/9 (°F –32)	Fahrenheit = 9/5 °C + 32
	0 °C = 32 °F (Punto de congelación del agua)	72 °F = 22 °C (Temperatura ambiental)
	100 °C = 212 °F (Punto de ebullicióndel agua)	98.6 °F = 37 °C (Temperatura del cuerpo humano)

UNIDADES MÉTRICAS

La unidad básica se enseña con letras mayúsculas.

Longitud	*Símbolo*
kilómetro	km
METRO	m
centímetro	cm
milímetro	mm

Área	*Símbolo*
kilómetro cuadrado	km^2
METRO CUADRADO	m^2
milímetro cuadrado	mm^2

Volumen	*Símbolo*
METRO CÚBICO	m^3
milímetro cúbico	mm^3
litro	L
mililitro	mL

Masa	*Símbolo*
KILOGRAMO	kg
gramo	g

Temperatura	*Símbolo*
grado Celsio	°C

ALGUNOS PREFIJOS MÉTRICOS

Prefijo		*Significado*
micro-	=	0.000001 ó 1/1,000,000
mili-	=	0.001 ó 1/1000
centi-	=	0.01 ó 1/100
deci-	=	0.1 ó 1/10
deca-	=	10
hecto-	=	100
kilo-	=	1000
mega-	=	1,000,000

ALGUNAS RELACIONES MÉTRICAS

Unidad	*Relación*
kilómetro	1 km = 1000 m
metro	1 m = 100 cm
centímetro	1 cm = 10 mm
milímetro	1 mm = 0.1 cm
litro	1L = 1000 mL
mililitro	1 mL = 0.001 L
tonelada métrica	1 Tm = 1000 kg
kilogramo	1 kg = 1000 g
gramo	1 g = 1000 mg
centigramo	1 cg = 10 mg
miligramo	1 mg = 0.001 g

GLOSARIO/ÍNDICE

incompleta: flor que tiene sólo pistilos o sólo estambres, 181

ingestión: acción de comer alimentos, 25

invertebrados: animales sin columnas vertebrales, 219

laminillas: estructuras que producen las esporas de los hongos, 153

larva: etapa del desarrollo del insecto en que se parece a un gusano, 227

longitud: distancia entre dos puntos, 1

masa: cantidad de materia de que se constituye un objeto, 1

meiosis: proceso por el cual se forman los gametos, 125

membrana celular: "piel" delgada que encierra la célula y que le da forma a la célula, 41

metamorfosis: cambios durante las etapas del desarrollo de un organismo, 117, 227

métodos científicos: guía para solucionar problemas, 9

microscopio: aparato que agranda o amplifica las cosas más de lo que son en realidad, 49

mitosis: tipo de división celular en que el núcleo se divide, 71

mohos viscosos: protistas que tienen dos etapas de vida, 147

ninfa: insecto joven que se parece al adulto, 227

núcleo: la parte de una célula que controla todas las actividades de la célula, 41

organismos: seres vivos, 19

óvulo: estructura pequeña en que se desarrollan las ovocélulas en una flor, 181

pelos: estructuras pequeñas como pelitos que ayudan a la raíz a absorber más agua, 167

peso: medida de la atracción de la gravedad sobre un objeto, 1

pistilo: órgano reproductor femenino de una flor, 181

polen: célula reproductora masculina de una planta, 187

polinización: movimiento de polen desde un estambre a un pistilo, 187

polinización cruzada: cuando el polen se lleva del estambre de una flor de una planta al pistilo de una flor de otra planta diferente, 187

polinización directa: cuando el polen se lleva del estambre de una flor de una planta al pistilo de otra flor de la misma planta, 187

propagación vegetativa: reproducción asexual en las plantas, 95

protistas: organismos simples que tienen un núcleo verdadero, 147

protozoos: protistas de una célula que se parecen a animales en que no pueden fabricar sus propios alimentos, 147

quitina: sustancia dura que forma las paredes celulares de los hongos, 153

regeneración: capacidad de un animal para reproducir o restaurar partes del cuerpo que se han perdido, 89

reino: grupo de clasificación más grande, 131

reproducción: proceso de vida en que los organismos engendran nuevos organismos, 65

reproducción asexual: clase de reproducción que requiere un solo padre (una madre), 65

reproducción sexual: clase de reproducción que requiere dos padres, 65

respiración: proceso por el cual los organismos sacan energía de los alimentos, 25, 175

respuesta: reacción a un cambio en el medio ambiente, 19

rizoides: estructuras como raíces que fijan los hongos, 153

semilla: estructura reproductora, 159; estructura que contiene una planta en desarrollo y la alimentación para que crezca, 193

símbolos de advertencia para la seguridad: señales que avisan sobre riesgos y peligros, 15

taxonomía: ciencia de clasificar los seres vivos, 131

temperatura: medida del calor o del frío de algo, 1

tropismo: respuesta de las plantas a los estímulos, 213

tubérculo: tallo subterráneo, 95

vertebrados: animales que tienen columnas vertebrales, 233

volumen: medida de la cantidad de espacio que ocupa un objeto, 1

zigoto: óvulo fecundado, 103